從孤寂到恬適

樂齡情緒療癒繪本解題書目

From Forlorn to Tranquil:

An Annotated Bibliography of Emotional Healing
Picture Books for Senior Citizens

陳書梅　著

旺文社股份有限公司

目次

從孤寂到恬適：樂齡情緒療癒繪本解題書目

目次

E 人際關係

—— 與他人建立關係／人際互動／故舊離去／社會孤立

F 失落與死亡

—— **親友離世／對死亡的恐懼不安**

目次

序文

「樂齡」一詞最早源於新加坡等地，其係以「樂」代「老」，而「樂」有「快活」、「安樂」的意思，指一個人能活到快活安樂的年齡。根據教育部，「樂齡者」（senior citizen; older adult; the elderly）一詞，乃是對 55 歲以上中高齡者之別稱。2008 年，美國圖書館學會（American Library Association, ALA）公佈之「圖書館樂齡者服務指南」（Guidelines for library and information services to older adults）明確指出，樂齡者為 55 歲以上之成年人。另外，根據 2018 年 6 月修正的「終身學習法」第三條中，「樂齡學習」一詞，指「終身學習機構所提供五十五歲以上人民從事之學習活動」。同時，教育部在全臺灣各鄉鎮市區，設置之「樂齡學習中心」及補助設立之「樂齡大學」，皆以 55 歲以上的民眾為對象；綜上可知，臺灣已廣泛應用「樂齡」一詞，指稱 55 歲以上的中高齡者。再者，許多人於 55 歲時即申請退休，卸下了工作負擔；且在此階段子女皆已成年。基於上述原因，且「樂齡」一詞，顧及中高齡者的心理感受，也能藉此倡導個人以正向健康的態度，面對邁入老化的歷程。因此，本專書以「樂齡者」稱呼 55 歲以上之成年人。

研究指出，在此人生階段中，樂齡者可能因身體機能衰退、離開職場，乃至親友逝世等事件，以致衍生出諸多情緒困擾問題。其中，包括自我認同方面，如因生理機能衰退而自我價值感低落；再如人際關係方面，則可能由於社交活動減少、兒女離家等因素，產生孤獨、寂寞與無助感；而配偶、親友過世等事件，則會讓樂齡者衍生哀傷和失落感，或對死亡感到恐懼、擔憂。另外，有越來越多

樂齡者在退休後成為長期照顧者，肩負起照顧年邁、患有長期疾病的父母或配偶之責任，使彼等感覺受到束縛，甚至衍生絕望感。有研究發現，樂齡者的負面情緒積累，除了容易引發如憂鬱症等心理疾病外，更會加速其心智衰退的速度，並對身體健康造成負面影響。

2018 年 3 月，臺灣正式邁入「高齡社會」，65 歲以上的老年人已達總人口的 14%。而在高齡社會中，樂齡者的健康照護與管理的問題，是十分值得關注的議題。世界衛生組織（WHO）申明，所謂的健康，包括生理健康、心理健康及社會適應等三面向的安寧美好狀態；換言之，樂齡者的健康，除了身體並無疾病外，亦應重視心理與社會適應層面的健康。相關報導亦提到，臺灣目前心理健康服務專業人力不足，使得樂齡者的心理健康照護問題，存在著不少隱憂。同時，衛生福利部 2017 年的統計資料顯示，年齡較長者的自殺死亡率較高，更是心理衛生工作中重要的議題。文獻指出，倘若未能適當解決此等問題，則可能會對既有的社會福利制度，以及年輕家庭成員等造成諸多重大衝擊。準此，如何協助樂齡者維持與促進心理健康，藉以讓彼等健康老化（healthy aging）、成功老化（successful aging）及活躍老化（active aging），實是值得吾人重視的。

學者專家主張，在遭遇情緒困擾問題時，個人可閱讀適合的圖書資料與影音資源，作為釋放負面情緒的管道，從而使個人找回內在的心理韌性與挫折復原力（resilience），並獲得面對不如意事件或困境的力量；最終，得以改變態度與行為，解決心理困擾或滿足發展性需求，同時，促進個人心理健康，此即為「書目療法」（bibliotherapy）的運用。相關文獻顯示，對樂齡者而言，善用書目療法，可協助彼等舒緩孤獨、抑鬱等負面情緒，並增進幸福感。究其原因，乃在於閱讀除具增長知識的功能外，亦具有鼓舞人心與安撫困頓者的情緒療癒（emotional healing）作用。

　　事實上，吾人內在即存有自癒力、心理韌性及挫折復原力，此為一種「堅韌抗逆」的能力，其係自我的資源，讓個體在遭遇日常的壓力和挑戰，或遭逢重大災難或變故時，能由事件中找到其意義，從而得以走出情緒低谷，並重新尋回面對困境與再奮起的心能量。在困境中的當事者，可以運用書目療法，透過適當的情緒療癒繪本、小説、心理自助書、傳記等圖書資料，或音樂、歌曲、電影、電視劇等影音資源，產生「認同」作用（identification），得知並非只有自己遭遇目前的挫折與困境，並能更清楚地照見個人當前的處境；同時，在閱讀的過程中，看著角色人物的遭遇，與之一起難過、一起歡笑，從而宣洩了積壓於內心的負面情緒，此等「淨化」情緒（catharsis）的過程，能鬆開情緒鬱積的結；最後，如同武俠小說所言，任督二脈打通了，於是全身通暢，思緒也跟著清明起來，繼而能「領悟」（insight）到，可以學習素材中角色人物面對困境的作法與態度，或是思考可如何解決自身的困境。如此，透過與閱讀素材互動的過程，當事者能獲得情緒療癒之效，並重啓自身的挫折復原力。

　　在眾多媒材中，以圖畫為主、文字為輔的繪本，是適合樂齡者閱讀的文類之一。學者專家指出，繪本是「零歲至一百歲」皆適合閱讀的素材；而樂齡者擁有豐富的生命經歷，能更深刻地體會繪本作者透過圖畫與文字共同表達的意涵，並能從中引發個人深層思考生命中的各種議題。文獻亦指陳，繪本可減少樂齡者負面思考以及對晚年生活的恐懼感，並能從中找回童年時的純真心靈。除此以外，繪本的字體多較一般圖書大，篇幅亦較短，不會為閱讀帶來負擔，而繪本的特質，能克服部分樂齡者視力退化，或者因早年戰亂失學、閱讀能力受限等問題。

　　事實上，樂齡者確實存在著繪本閱讀的需求。筆者檢索網路資

源，發現有網友詢問適合樂齡親友閱讀的繪本。另外，臺灣已有一些針對樂齡者辦理的繪本閱讀活動，例如以銀髮族繪本為主題之讀書會、祖孫共讀的繪本主題書展；新北市書香文化推廣協會亦曾開列適合樂齡者閱讀的繪本清單；《安可人生》雜誌自 2017 年起，有專門為樂齡者介紹繪本的「後春青繪本館」專欄，並舉辦相關講座與活動，帶領樂齡者閱讀繪本；再如，臺北市立圖書館辦理「樂齡繪本玩劇團」之課程，內容包括賞析繪本、改編故事及戲劇表演，讓 55 歲以上的樂齡族，得以藉由演說繪本故事來服務他人。此外，亦有相關團體，如嘉義市閱讀推廣協會、法鼓文理學院等，定期至老人安養中心，為樂齡者導讀繪本故事；而由媒體報導可知，參與活動的樂齡者喜愛繪本的故事內容，且情緒亦會隨著故事情節的發展而起伏，並能達到舒緩情緒壓力的效果。

雖然圖書館與樂齡產業相關機構，多已注意到樂齡者的情緒療癒需求，且亦對繪本適合樂齡族群閱讀有所認知；同時，也有意願辦理樂齡者閱讀繪本的活動；然而，卻常面臨不知哪些素材適合樂齡者閱讀的問題，以及缺乏相關書目可供參考的情況。爰此，筆者於 2016 年申請科技部專題研究計畫《繪本對樂齡者之情緒療癒效用研究》（MOST 105-2410-H-002-229），進行本主題之實證研究，並將最終的研究成果，納入此繪本解題書目中。

具體言之，筆者先由網路初步檢索與樂齡者常見的情緒困擾相關之繪本，主題包括身體老化、負面情緒調適、自我實現、家庭關係、人際關係、失落與死亡等；另外，也邀請出版社推薦相關繪本。之後，依據繪本之情節鋪陳、角色人物、畫風、文字內容等元素，以內容分析法（content analysis），挑選樂齡情緒療癒繪本。接著，邀請 30 位居住於臺北市及新北市，55 歲以上的樂齡者參與本研究，透過兩次之半結構式深度訪談（semi-structured in-depth interview），探討樂齡者所遭遇之情緒困擾問題類型，以及筆者初步挑選的 36 本繪本，是否能對遭遇不同情緒困擾問題之樂齡者，產生情緒療癒效用；30 位樂齡者，皆閱讀與其困擾相關的繪本二至五本。最後，再分析樂齡者閱讀繪本後的心得。由於研究計畫的時程限制，在訪談結束後，筆者發現一些未獲出版社推薦或新近出版，且亦適合樂齡者閱讀的繪本，遂再行挑選 16 本。依此，本專書總共臚列了 52 本適合樂齡者閱讀之情緒療癒繪本。

此專書是筆者繼《兒童情緒療癒繪本解題書目》、《從沉鬱到淡定：大學生情緒療癒繪本解題書目》以及《從迷惘到堅定：中學生情緒療癒繪本解題書目》等三本專書後，第四本情緒療癒繪本的解題書目。前兩本專書皆委由臺灣大學出版中心出版；而今年，適逢臺大創校九十週年，出版中心刻正忙於校慶系列出版品之業務；基於時效因素，本專書及《從迷惘到堅定：中學生情緒療癒繪本解題書目》，皆委託旺文社公司出版，筆者感謝旺文社的鼎力協助。

而在此，筆者要感謝科技部對專題研究計畫《繪本對樂齡者之情緒療癒效用研究》的經費挹注，以及本計畫的協同主持人，臺灣大學社會工作學系楊培珊教授給予之情緒上的支持與鼓勵。本研究首次申請兩年期的計畫未獲通過，經筆者提出申覆，最終獲得一年期的經費補助。十分感謝匿名的複審委員尊重書目療法專業，秉公處理此案，本專書才有機會面世。

同時，筆者也要對 30 位樂齡受訪者致上最深摯的謝意，您們熱心地參與本研究，並無私地分享個人生命經驗及閱讀繪本的心得，讓本研究得以順利完成；尤其，一些樂齡者接受訪談後，高度認同透過閱讀繪本舒緩負面情緒的理念，且更進一步詢問其原理與實際作法，希望能身體力行，推薦身邊的親友及其他樂齡者閱讀情緒療癒繪本；此等即知即行的態度和關懷他人的熱忱，著實令人感佩。

再者，也由衷感謝所有協助筆者招募受訪者的公共圖書館館員及社會工作人員，由於您們的熱心幫忙，並安排訪談時間、場地，使得此次實證研究得以順利進行。再次，筆者也感謝研究助理陳倩兒，協助樂齡繪本相關資料的蒐集、參與樂齡者訪談，以及後續訪談資料的整理與分析工作；另外，大學部戴辰軒同學，也幫忙本書部分資料之整理事宜，謹於此一併致謝。

藉由本序文，筆者尤其要對外子謝繼茂，表達深深的感謝之意。當我數度向科技部申請書目療法的研究計畫，但因審查委員不具備此方面的專業知識，甚至抱持書目療法僅係用來治療心理疾病患者的錯誤認知，以致未能獲得經費補助；或是核定的補助經費有限，而面臨後續研究無以為繼的困頓時刻；您總是用您獨特的「黑貓招式」，或是給予溫暖的臂膀，或是給予實質上的經費資助。凡此，皆讓我得以找回原本盼望將書目療法的理念向社會大眾推廣的初心，並能再度積極投入相關的研究。十年來，若沒有您情緒上與實質上的支持，則這一系列的四本情緒療癒繪本專書，便無法順利誕生。對此，我無以回報，僅能更加努力，進行書目療法研究，以將您的愛心和關懷社會的心意散播開來。

雖然目前樂齡者並非繪本的主要閱讀族群，且認知到個人可嘗試閱讀繪本的樂齡者仍不多；但期冀藉由本專書的出版，一方面能協助高齡社會中的樂齡者，培養療癒閱讀的習慣，使之在遭遇情緒困擾時，能善用書目療法此種情緒療癒 DIY 的經濟實惠方式；同時，樂齡者亦可就個人所需，閱讀本書所臚列的情緒療癒繪本，以舒緩孤寂、失落等負面情緒，並重啓自癒力；最終，能以恬然安適的態度，看待生活中的一切。另一方面，樂齡者的親友，以及相關的社會福利機構、老人日托中心、安養機構、老人照顧中心、護理之家等，亦可運用本專書所列的情緒療癒繪本，作為輔導樂齡者面對情

緒困擾問題，以及規劃樂齡健康照護服務活動之參考。

　　書目療法在臺灣方興未艾。自 2015 年 11 月，圖書館學會「閱讀與心理健康委員會」成立以來，至今兩年有餘。在委員會所有委員的全力支持下，筆者或針對圖書館館員辦理書目療法專業知能培訓課程；或為學校教師、社會工作者、心理諮商人員、醫療人員乃至一般企業或民眾，辦理工作坊及講座；再加上「閱讀與心理健康」臉書粉絲專頁的運作，以及 2017 年和 2018 年，兩次全國性書目療法論壇的辦理；臺灣的圖書資訊界、教育界、心理衛生界、社會工作界、醫療界等相關領域的同道，已然對閱讀能促進心理健康的理念，有了進一步的認識；而一些大學圖書館、公共圖書館、中小學圖書館、醫學圖書館及專門圖書館等，皆已展開書目療法服務。本專書的出版，可供相關類型圖書館在發展樂齡情緒療癒繪本館藏資源、規劃與辦理樂齡繪本書目療法服務相關活動等之參考；如此，吾人不僅能呼應樂齡族群潛在的情緒療癒需求和心理健康促進的潮流；同時，更可創新樂齡讀者服務的項目與內涵；最終，得以藉此善責社會責任，協助樂齡者預約健康幸福人生，並營造和諧的高齡社會。

陳書梅 謹識

2018 年 6 月

于臺灣大學圖書資訊學系

樂齡情緒療癒繪本書目

本解題書目收錄適合 55 歲以上樂齡者閱讀的 52 本情緒療癒繪本。其中，主題可分為六項，依序分別為 A 類之「身體老化」、B 類之「負面情緒調適」、C 類之「自我實現」、D 類之「家庭關係」、E 類之「人際關係」，以及 F 類之「失落與死亡」。茲詳述如下：

- A 類「身體老化」：身體機能衰退、不適應老年階段的生活
- B 類「負面情緒調適」：寂寞、不安、無力感、鬱悶、困乏、沮喪、憤怒、悔恨
- C 類「自我實現」：怯於實現夢想、放棄理想、妥協於現實
- D 類「家庭關係」：與父母、配偶、兒女、同住親友之間的互動與摩擦
- E 類「人際關係」：與他人建立關係、人際互動、故舊離去、社會孤立
- F 類「失落與死亡」：親友離世、對死亡的恐懼不安

在各主題之下，按照繪本的書名筆劃順序排列。每一筆繪本的書目資料，皆臚列如下的內容：

- ◎「讀者情緒困擾問題類型」：說明此繪本可療癒的對象
- ◎「繪本基本書目資料」：書名、作者、繪者（如為外籍作家，則並列姓名譯文與原文）、譯者、出版社、出版年（如非初版，則註明版次）及 ISBN（13 碼）
- ◎「內容簡介」：繪本故事內容簡述
- ◎「情節舉例」：繪本其中一至兩頁之全部或部分文字內容，及該處圖畫之描述
- ◎「情緒療癒效用」：繪本可讓讀者產生認同、淨化、領悟心理狀態之效用分析

A 身體老化

◎ 身體機能衰退

◎ 不適應老年階段的生活

身體老化——身體機能衰退、不適應老年階段的生活

書名／五歲老奶奶去釣魚
（だってだっての おばあさん）

作者／文‧圖：佐野洋子
譯者／湯心怡
出版社／臺北市：大穎文化
出版年／2004
ISBN／9789572958957

◆ 內容簡介

　　繪本主角是一位九十八歲的老奶奶，她與年紀很小的貓小弟一起生活。每天，老奶奶都留在家中從事靜態的活動，很少外出；雖然貓小弟經常邀請老奶奶出門釣魚，但因主角覺得此活動不適合年長的人，而不曾答應。

　　老奶奶九十九歲生日當天，在家製作生日蛋糕，並央請貓小弟出門，購買九十九根蠟燭回來慶祝。然而，貓小弟在回家途中，丟失了大部分的蠟燭，只帶回五根。於是，兩人利用剩下的蠟燭，慶祝老奶奶「五歲」的生日。

　　隔天，貓小弟如往常般，邀請老奶奶一起釣魚；而主角想到，自己方才過了「五歲」生日，終於答應對方。在與貓小弟出門後，老奶奶體驗到「青春」的快樂滋味，於是決定往後也要以年輕的心態過日子。

◆ 情節舉例

「『五歲的感覺，好像一隻小鳥喔！』奶奶覺得全身輕飄飄的。」

　　老奶奶面帶微笑，輕盈地跳過一條小溪。由此畫面，讀者可以體會到，主角因為心態變得年輕，而使其心情亦變得快樂，身體也跟著活絡了。此逗趣的情節和老奶奶愉悅的神情會觸動讀者，並隨著主角一同雀躍起來。

◆ **情緒療癒效用**

認同

故事中，老奶奶僅與貓小弟一同生活，身邊並無其他親人的情況，讓一些樂齡者照見自己因親人多不在身邊，使個人感覺了無寄託的景況。而樂齡者閱讀本書後，也會覺得自己上了年紀後，變得像書中的老奶奶一樣，喜歡待在家中，偏好靜態活動；此外，老奶奶因覺得釣魚不適合老年人，故雖感到好奇，但不欲參與或嘗試，亦會讓讀者想起，個人有時也會像主角一樣，以既定的認知，拒絕某些看起來不適合自己的活動。而由貓小弟每日邀請老奶奶出門釣魚的情節，樂齡者亦會聯想到，兒女、孫子等晚輩會基於不同原因，邀約自己參與活動，但個人有時會因不感興趣或覺得負擔過大而婉拒，以致讓對方失望，或勉強自己去陪伴兒孫等經驗。

淨化

主角老奶奶除了貓小弟外，並無其他親人在身邊，且每天都只待在家中，很少出外活動。由老奶奶靜靜地坐在家門口剝豆子的情景，讀者能感受到主角心中可能的孤單、無聊及寂寞感。後來，貓小弟受託購買生日蠟燭，卻不慎丟失了大部分，因而在老奶奶面前嚎啕大哭；主角雖然覺得失望，但為了安慰貓小弟，便壓抑自己的負面情緒。閱讀至此，讀者會覺得老奶奶十分體貼，同時，也能感受到她的失望之情。

而老奶奶轉念，以剩餘的五根蠟燭，慶祝「五歲」生日後，心態變得年輕，也更有活力，心情亦跟著開朗起來，且願意與貓小弟一起出門釣魚；由老奶奶一路上，愉快地聞花香、輕盈地跳過小溪、涉水到河中抓魚等畫面，讀者能看出主角十分開心，讓樂齡者不自覺地跟著愉快起來。全書筆調輕鬆，情節幽默逗趣，富有想像力；閱讀後，會令人感到心情暢快。

領悟

由此故事，樂齡讀者會領悟到，當個人因年紀漸長而感到苦惱時，可學習書中老奶奶，嘗試轉念，讓心態保持年輕；同時，也要破除既有的認知，樂於體驗各種事物，避免因年齡而自我設限。再者，樂齡者亦可與親友結伴，一起參加活動，以培養多元興趣並鍛鍊體能；如此，除了讓自己變得更快樂且有活力外，還能增進人際關係及社會連結。另外，在本故事中，貓小弟雖然並非老奶奶的親人，但也發揮了陪伴的作用；由此，樂齡者可以體會到，除了兒孫外，亦可與不同的周遭他人建立良好關係，從而減少社會孤立感，並增進心理健康。

結局中，貓小弟擔心，變成「五歲」的老奶奶，是否能像原本的老奶奶一樣，做出美味的蛋糕；讀者會由此體悟到，個人處於樂齡階段，擁有著許多年輕人缺乏的人生歷練、智慧與能力；因此，應積極發揮自己的專長，為社會盡一分心力。

A02 讀者情緒困擾問題類型：
因身體健康衰退而自我價值感低落

書名／外公上山
（Der Großvater im Bollerwagen）
作者／文：古德龍・保瑟汪（Gudrun Pausewang）
　　　圖：英格・史坦艾克（Inge Steineke）
譯者／林素蘭（Ursula Grütter）
出版社／臺北市：玉山社
出版年／2001
ISBN／9789578246782

◆ 內容簡介

　　主角外公年事已高，也經歷過人生中許多悲歡離合。他因飽受身體病痛之苦，且行動不便，而產生已經活夠了的感慨。於是，他請孫子小培，用推車將自己送至山上的懸崖邊，意欲結束一生。

　　在上山途中，外公遇見許多朋友，大家一見到主角，即向他請教日常生活中遭遇到的疑難問題；而主角皆能運用個人經驗和智慧，一一為大家解惑。此外，孫子小培亦在路途中，教不識字的外公書寫自己的名字。

　　其間，祖孫兩人巧遇小培的同學，於是大家合力將外公推至山頂上。主角與孩子們在懸崖邊，欣賞山下的景色，同時亦想起路上向自己討教的朋友們，也因學會書寫自己名字而感到興奮。由此，外公改變了原本意志消沉的態度，重拾對未來的期盼與生存的動力。

◆ 情節舉例

外公用腳夾著拖桿。『還值得活下去！』他大聲喊著，
『Holladihoooooooooooo！』」

　　外公在上山的路途中，透過幫助朋友而發現自我價值，並因學會寫自己名字而體悟到，生活中仍有新事物值得學習；主角由此認知到，儘管生理功能衰退讓其感到不適，但生命仍有無限的希望與可能性。看到主角改變認知後，與孫子小培一起快樂地乘坐推車滑下山坡的畫面，讀者亦不禁會為他們感到高興。

◆ 情緒療癒效用

認同

故事中，外公因上了年紀，身體機能退化，並受到許多毛病所困擾，導致其不願再繼續面對生命；此外，主角經常向他人抱怨身體上的不適，也訴說著自己對生活的負面感受。由此等情節，讀者會聯想到，一些人在踏入樂齡階段時，亦和主角一樣，因身體機能衰退便產生消極的心理；而若遭病痛所苦，更會覺得自己如同受到禁錮般，導致自我價值感低落，甚至對人生感到絕望。對此，樂齡者能有深刻的體會，覺得此書道出了個人的心聲。此外，主角擁有豐富的人生經驗與知識，但在年老時，卻因健康衰退且缺少親人關愛，而感到意志消沉，讓有相似遭遇者深感共鳴。

淨化

故事一開始，外公請孫子小培將自己送往山上，尋求解脫；樂齡者可由此情節感受到，主角心中相當孤獨憂鬱，且自我價值感低落。對此，讀者會為其處境感慨不已。而在祖孫兩人上山的路途中，主角透過替他人解惑，體會到自己生命的價值；尤其，在協助一對年輕情侶解開困惑後，對方感激不已，因而未來想要以外公的名字為孩子取名之情節，格外讓人感受到生命延續的喜悅。

後來，外公到達懸崖邊時，想起沿路遇見的朋友和學習到新事物，因此找回個人存在的意義；看到這些情節，讀者亦會覺得溫暖。故事結尾，外公與孫子一同坐著推車滑下山坡返家，由畫面中，可以感受到外公將困擾自身的問題一一想通後心情暢快，更高呼著「還值得活下去！」，閱讀至此，樂齡讀者亦會受到感染，而有如釋重負之感。

領悟

看到外公由消極走向積極的人生故事，樂齡者能體悟到，保持身體健康、營造良好的人際關係，找到自我價值、以及設定人生目標的重要性。詳言之，讀者可由本故事學習到，在樂齡階段，個人可能面臨種種生理機能退化而引起的病痛，導致情緒低落；由此，讀者可參悟到，平時保持身體健康，便不會像外公一樣，因風濕、關節僵硬、牙齒幾近脫落等毛病，致使生活過得不順心。

再者，如同主角外公一樣，樂齡者亦可能遭遇親友離開的失落事件，而覺得孤單落寞。在書中，雖然主角的妻子、女兒都不在身邊，但孫子小培一直不離不棄地陪伴他；由此故事，讓樂齡者體會到，應寬心面對親人無法經常陪伴在身邊之事實，而對於周遭關愛自己的人，都格外值得珍惜。

另外，由外公以自身的知識幫助他人解開困惑的情節，樂齡讀者可以學習到，即使體力衰退，但吾人仍可運用智慧與經驗，幫助有需要者，從而建立自我價值感與自信。同時，亦應學習外公，多結交不同年齡層的朋友；如此，方能建構綿密的社會支持網絡，而不致衍生社會疏離感。再者，由外公學會自己名字寫法的情節，樂齡讀者可領悟到，世界上實有許多值得學習的新事物。因此，不論年紀多大，仍應尋找新的人生目標，並努力赴諸實行，從而使晚年生活更加充實與豐富。

因身體健康衰退而自我價值感低落

書名／吉歐吉歐的皇冠（ジオジオのかんむり）
作者／文：岸田衿子
　　　　圖：中谷千代子
譯者／艾宇
出版社／新北市：小熊
出版年／2015
ISBN／9789865863586

◆ 內容簡介

　　獅子吉歐吉歐國王曾經是森林中最勇猛強壯的，但隨著年紀增長，其視力和體力皆開始退化，且變得希望能有朋友陪伴自己；然而，動物們對吉歐吉歐仍有所戒備，無人願意接近主角。

　　某天，一隻小灰鳥向主角傾訴，其之前所生的蛋，皆被其他動物吃掉，或遭到意外而失去，故覺得相當難過與煩惱。於是，在主角的建議之下，小灰鳥在吉歐吉歐的皇冠裡，再次築巢孵蛋。

　　因著主角的悉心保護，所有鳥蛋皆順利孵出幼鳥，並健康地成長。此後，吉歐吉歐如願以償，得到小鳥們的陪伴，使其感到快樂與滿足。

◆ 情節舉例

「七隻小鳥停在吉歐吉歐的頭髮或尾巴上。啾啾啾，啾啾啾——雖然吉歐吉歐的眼睛看不清楚了，但是他的耳朵聽得見。他快樂又專心的聽著小鳥們的歌聲。」

　　畫面中，小鳥圍繞在吉歐吉歐的身邊，而牠則閉上雙眼，享受鳥語啁啾的樂趣，臉上流露出笑意；讀者能由此感受到，年邁、身體功能退化的主角，因著小鳥們的陪伴，心中十分滿足、幸福與快樂。

◆ 情緒療癒效用

認同

邁向老年、身體功能逐漸衰退的獅子吉歐吉歐，經常孤單一人，其處境會讓一些樂齡者覺得，此彷彿是自身的寫照。而故事描述，主角年輕時十分兇猛，致使其他動物皆退避三舍；年老時，則變得希望有朋友相陪，但其他動物依舊不敢靠近。此如同一些讀者，在邁入樂齡階段後，雖覺得自己變得較容易相處，不過周遭他人並未改變以往的既定印象；因此，有類似經驗者，能對主角的遭遇感同身受。另外，看到吉歐吉歐小心翼翼地保護小鳥的情節，亦會勾起樂齡者過去辛苦拉拔兒女成長的諸多回憶，並產生認同感。

淨化

年老的主角吉歐吉歐，希望能有朋友陪伴，但大家仍如往昔般，不敢與之交流接觸；由此情節，樂齡者能感受到主角落寞與不快樂的心情；同時，也會覺得牠身體機能衰退的狀況很可憐。之後，看到吉歐吉歐聆聽小灰鳥傾訴的畫面，有如兩個遭遇挫折的人互相取暖；樂齡者能從中感受到，兩人的負面情緒稍為舒緩。

後來，吉歐吉歐讓小灰鳥在自己頂上的皇冠裡築巢下蛋，更細心地保護鳥巢，避免新生鳥蛋遭受風吹雨打；看到此等畫面，會令讀者為之動容，心情亦跟著感到平靜與溫暖。再者，吉歐吉歐因著照顧小鳥而有了想要的陪伴，也由此排遣了心中的寂寞感；而小鳥也因獅子的保護，得以平安地成長，是個兩全其美的結局；看到主角終展露出滿足的笑容，樂齡讀者會跟著感到高興，甚至羨慕起書中的角色們。另外，此繪本畫面顏色柔和明亮，在閱讀的過程中，容易令人心生正面情緒。

領悟

閱讀此繪本後，樂齡者會發現，自己雖然年紀漸老、體力漸差，但仍可以不同的方式協助或保護後輩。另外，讀者亦會從主角幫助小灰鳥的舉動中領悟到，與人交往時，不必計較於給予和回饋之間的平衡與多寡，因為當個人能真心付出，即能獲得許多成就感，同時，他人亦會給予相應之愛的回饋。

再者，吉歐吉歐身為國王，亦因年老而遭遇生理機能衰退帶來的困擾；同時，牠的性情轉變，而想要有人陪伴；由此故事內容，讀者會認知到，不論貧富貴賤，因年歲增長而健康日下，乃是每個人必經的歷程；再加上，樂齡階段的需求、責任和渴望，皆有別於年輕時；是故，吾人應接受現實，進而能有所釋懷。同時，也可嘗試讓親友了解個人身心的變化，以降低彼此間產生嫌隙的機會，並減少心中的不適感。最後，由小鳥成長後，離開吉歐吉歐的皇冠之畫面，樂齡者會體悟到，此如同兒女成長後，不再需要父母全面的呵護；此時，吾人應調適心情，放手讓孩子遵循其個人意願，活出屬於他們的人生。

A04 讀者情緒困擾問題類型： 面對身心衰老與權力交替的不適應感

書名／你大，我小（Toi grand et moi petit）
作者／文‧圖：葛黑瓜爾‧索羅塔賀夫
　　　　　（Grégoire Solotareff）
譯者／武忠森
出版社／新竹市：和英
出版年／2003
ISBN／9789867942395

◆ 內容簡介

　　主角獅子國王個性高傲自大。某日，一隻沒有父母的小象，跟隨主角來到皇宮。起初，獅子對小象態度不甚友善，但基於同情與憐憫，便照顧小象，並與之分享個人的經驗；經過相處後，兩人的關係變得十分緊密。

　　小象逐漸成長，體型變得較獅子國王高大許多；此讓獅子覺得自己的地位受到威脅。其間，小象雖一再表白「你大，我小」，但主角仍深感不安，遂決意要小象離開皇宮。而被趕走的小象，心中仍對獅子存有一份情義。

　　多年後，小象遇見了失去國王職位而流落街頭的獅子，便將之帶回家照顧。最終，年老體弱的獅子恢復了元氣，亦漸漸明白自己在對方心中的地位不會動搖。

◆ 情節舉例

「沒多久，獅子就康復了。大象怕顯得太大，趴下來走路，像從前那樣。」

　　即便過去獅子國王對小象態度不佳，但小象長大，獅子失去王位，小象仍願意放低姿態，趴下龐大的身軀，以讓曾經照顧自己的獅子感到安心，此舉充分展現了小象對主角的忠心與敬重，讓讀者覺得相當欣賞。

◆ 情緒療癒效用

認同

繪本中，獅子國王照顧小象的畫面，讓樂齡者想到，自己辛苦拉拔與照顧兒女或其他後輩的情形，因而衍生深深的認同感。之後，故事敘述，成年後的小象既高大又強壯，更將失去王位、流落街頭的獅子帶回家照顧；由此情節的發展，樂齡者會感覺到，如同個人用心培育兒女或其他後輩成長，後來對方因較自己身強體壯、能力、學歷也高，故個人有時需要反過來聽從對方意見的經驗。

故事結局中，小象希望獅子能脫下皇冠，以免在趴著走路時，會被搔得肚子發癢，但獅子表示，回到家後才願意卸下皇冠；此如同一些樂齡者的自尊心強，不希望被他人發現自身脆弱的一面，而只願意在家人面前展露真正的自己；此情節能照見某些讀者的心緒。

淨化

一開始，獅子國王雖然對小象不甚客氣，但由其睡前伸手撫摸小象的頭之畫面，讓人感覺到，獅子心中其實是柔軟的；對此，讀者能同理牠不欲放下尊嚴，但事實上仍關愛著小象的心情。而當小象長大後，獅子國王深怕對方會動搖自身的地位，執意要小象離開，雖然書中並未描繪獅子的神情，但讀者會從文字感受到牠內心可能的矛盾；而畫面中小象的背影，顯示出其離開獅子時的落寞心情；讓樂齡者為牠感到心疼與無奈。

後來，故事描述，小象偶遇失去王位後，戴著假皇冠流落街頭的獅子，由畫面可見，小象的眼神中，流露出疑惑、驚訝、感傷的情緒；閱讀至此，讀者也會為獅子今昔境遇的落差，感到心酸與唏噓不已。而兩位主角重逢後，小象不但真心接納獅子，而且依舊保持下對上、小對大的忠心、敬重和服從之意；看到牠重情義與知恩圖報的行徑，會令樂齡者覺得欽佩與感動。

領悟

　　看到獅子與小象的互動與角色變化，樂齡讀者能夠體悟到，隨著歲月逝去，世代交替，自己有天也會如同獅子國王般，地位不再崇高、身體逐漸衰弱；因此，個人可嘗試放寬心，以平常心看待自身因年齡增長，而不復有「我大，你小」的局勢。同時，樂齡者亦會從獅子國王失勢後孤苦無依的境況，領悟到平日即應友善對待較自己弱勢、位階較低者，並與對方建立良好的人際關係；如此，可讓自己做好心理調適，進而能以正向的態度，面對職場上年輕後進擢升，以及個人年老身心狀況衰退、需兒女或他人照顧等轉變。

　　此外，由獅子國王為了保持尊嚴，只願意在家中脫下皇冠的情節，可令樂齡者理解到，人皆會有自尊心；是故，在與他人相處時，亦應抱持同理心，多方考慮對方的心理感受，以免讓別人衍生不舒服的感受。

A05

讀者情緒困擾問題類型：

退休後無處發揮自我而感到鬱悶

書名／歌舞爺爺（Song and Dance Man）

作者／文：凱倫‧艾克曼（Karen Ackerman）

　　　圖：史蒂芬‧格梅爾（Stephen Gammell）

譯者／張玉穎

出版社／臺北市：遠流

出版年／1991

ISBN／9789573212393

◆ 內容簡介

　　主角爺爺以前是雜耍團的歌舞明星，身懷各式各樣的表演絕活。某天，他領著三個孫子到家中的閣樓，翻出裝有表演道具的箱子，在孫子們面前大展身手。

　　表演的過程中，爺爺使盡渾身解數，讓孫子們看得不亦樂乎，並崇拜與讚嘆不已；而他也藉此重溫了昔日在舞臺上演出的成就感與滿足感。

　　此次表演，讓爺爺和孫子們度過一段美好的共處時光。而主角則覺得，自己雖然懷念過去的成就，但更樂於享受目前與家人相聚的時刻。

◆ 情節舉例

「下了樓，他抱住我們。我們告訴他，我們好想親眼看到他當歌舞明星時跳舞的樣子。他笑了，輕聲的說：『過去的時光再美好，也比不上和你們在一起的日子。』」

　　畫面中，爺爺與三個孫子擁抱在一起，樂齡讀者可以由此感受到一股溫馨的氣氛。此外，由爺爺的話語中，可看見他能放下風光的過去，盡情享受當下的生活態度，令人深感敬佩。

◆ 情緒療癒效用

認同

　　此故事描述，主角爺爺一方面懷念年輕時，在雜耍團擔任歌舞明星的美好時光；另一方面，也享受在家中與兒孫共處的時刻。由此，樂齡者會覺得自己也像主角般，雖然不時懷念過去的日子和種種成就，卻也珍惜當下的人生。另外，看到爺爺對孫子表演昔日拿手絕活的情節時，讀者會想到，自己也希望兒孫輩能了解個人過去的成就，因而感到共鳴。再者，故事描述，爺爺雖然寶刀未老，但在表演結束後，即氣喘如牛，自覺體力不如年輕時；一些樂齡者會覺得，個人亦遭遇到相似的狀況，而產生心有戚戚焉之感。

淨化

　　主角爺爺在帶領孫子上閣樓，翻出自己表演的道具箱時，臉上一直掛著笑容，樂齡讀者能看出，主角心中因期待而興奮。當他向孫子們展示拿手的歌舞與魔術時，讀者可以感受到主角爺爺十分滿足之餘，孫子們亦相當開心。在表演結束後，三個孫子擁抱爺爺的畫面，令人感到溫馨，並替主角能一展所長感到高興；同時，由主角對孫子道出「過去的時光再美好，也比不上和你們在一起的日子」之話語可見，他能坦然放下過去，盡情享受當下，其面對人生的正向態度，亦會令讀者深感佩服。

　　而在離開作為舞臺的閣樓時，主角站在門前凝望，樂齡者可以由此感受到，他依然懷念舞臺上表演的時光，令人跟著衍生念舊的情懷。另外，此繪本色彩鮮明，把主角表演歌舞時的動作、和孫子們互動等畫面，描繪得栩栩如生，讓讀者更能投入在故事當中，並感染到角色人物的種種情緒。

領悟

　　從歌舞明星的職涯退下後，主角仍能利用家中閣樓作為舞臺，自娛娛人一番；樂齡者可從中領悟到，在懷念過去的輝煌成就時，個人不妨學習繪本中的主角，尋找適當的場合，向家人與年輕後輩展示自己的才能；藉此，一方面可獲得成就感，一方面也讓他人更加了解自己。同時，讀者也可學習書中爺爺面對生活的態度，坦然放下對以往人生階段的眷戀，好好調適心情，並珍惜目前所擁有的人事物。

　　另外，故事描述，爺爺表演了一些老歌、舞步及把戲等過去年代的產物，深得孫子們的喜愛；由此，樂齡讀者會體悟到，自己掌握的一些技能，也許並非日新月異的現代社會最需要的，但仍可讓年輕後輩認識，以傳承生活智慧與文化。同時，吾人亦應多了解時代的趨勢與潮流，積極學習新技能；如此，方能更加融入社會，並避免產生社會疏離感。

書名／綿羊孵蛋
（The Sheep who Hatched an Egg）

作者／文・圖：梅莉諾（Gemma Merino）

譯者／陳郁婷

出版社／臺北市：格林文化

出版年／2017

ISBN／9789861897394

◆ 內容簡介

主角綿羊蘿拉，每天皆費心保養羊毛，使之柔順光滑；如此的悉心打扮，引來其他綿羊的欣羨和讚美，而主角也感到相當滿足與自豪。

夏天來臨時，所有綿羊都必須剪毛，蘿拉因而不復擁有一身漂亮的羊毛。主角對自己外貌的改變感到非常難過，於是躲至杳無人煙的山裡，等待羊毛生長。然而，新長的羊毛變得蓬鬆凌亂，讓牠覺得錯愕、失落不已。

偶然間，一顆鳥蛋掉落在蘿拉鬆軟的羊毛上，並孵化出一隻小鳥；對此，主角感到驚喜不已，且亦因發現自己的羊毛能溫暖對方，而重拾了快樂的心情；同時，也不再留戀以前漂亮的外貌。當夏天再度來臨時，蘿拉酷熱難耐，於是返回農場剪毛，並期待自己能再長出蓬鬆的羊毛，以幫助更多鳥兒。

◆ 情節舉例

「『好鬆軟。』『真溫暖。』『你的羊毛太棒了！』小鳥每晚都稱讚。可以幫助朋友，蘿拉覺得驕傲又開心。」

畫面中，呈現出一個下雨的晚上，小鳥在綿羊蘿拉的羊毛裡，安心地閉著眼睛休息，而蘿拉則滿足地看著小鳥。由此，樂齡讀者可以感受到，主角因為蓬鬆的羊毛能溫暖小鳥，於是不再介意自身的外表是否美麗。閱讀至此，讀者會跟著心生溫馨感，並替主角感到高興。

◆ 情緒療癒效用

認同

故事中，綿羊蘿拉原本擁有一身美麗的羊毛，但經歷剪毛後，即未能恢復往昔般的漂亮外表。由此，樂齡者會聯想到，自己年輕時，亦像主角一樣，擁有讓人稱羨的外貌、社會地位等，或曾不斷地追求財富、職位等外在的資源；但隨著年歲增長，許多方面皆未能維持或漸漸失去，能力也不如往昔。因此，讀者十分能體會蘿拉在失去自豪的羊毛後，覺得自我價值感低落，希望躲藏起來不與他人接觸的心境。

淨化

一開始，蘿拉因擁有人人稱羨的漂亮羊毛，而相當得意自滿，樂齡讀者能感受到牠心中的驕傲。但當主角失去讓其自豪的羊毛後失落不已，甚至躲到遙遠的山丘裡，等待羊毛生長；由畫面中，蘿拉「眼神死」的表情，樂齡讀者可以感受到，牠覺得十分沮喪與難過；而羊毛重新長出來時，並未如主角預期般恢復往昔的美麗，卻是變得狂野、雜亂；為此，蘿拉傷心地哭號。閱讀至此情節，讀者會感染到主角極為失落與錯愕的心情，並不由地同情起牠的遭遇來。

後來，一顆鳥蛋意外地從樹上掉落，卻因蘿拉蓬鬆羊毛的保護，而未受到傷害，更順利孵化出小鳥，讓主角驚喜不已；樂齡者會為此逗趣的故事轉折莞爾一笑。後來，牠與該隻小鳥結為朋友，朝夕相處，讓主角了解到蓬鬆羊毛的好處，而接受了自己外貌的改變，此亦讓讀者跟著感到釋懷。一段時間後，蘿拉與小鳥意識到道別的時刻來臨，於是彼此祝福，各自展開新生活的情節，更是令人覺得既感傷又感動。最後，有了一番經歷的蘿拉，返回農場剪毛，其不再擔心自己在他人眼中的形象，而是念掛著日後

要繼續幫助其他小鳥；看到蘿拉發現個人特質的好處，於是放下對自我形象的執著，且不再介意他人的眼光，亦讓讀者感到欣慰。

領悟

由此故事，讀者能體悟到，猶如綿羊蘿拉一到夏季便需要剪毛般，個人在邁入樂齡階段時，面臨身體老化、人際關係的改變、失去部分能力或相關資源等，乃是無法避免的事實；對此，吾人可以放寬心坦然接受，並且探索此人生階段可發揮之處。另一方面，樂齡者可如同主角般，以自身的專長協助有需要者，以讓自己獲得滿足和社會參與感，並找到自我的價值。另外，由蘿拉的故事，樂齡讀者也可以領悟到，與人交往時，外貌、社會地位、財富等，雖然能引來別人的讚美，但這些外在的因素皆難以長久保有；而當吾人能真心地付出時，他人亦會受到自己影響，並給予相應的回饋，如此，方能得到長久且深層的快樂。

因年紀增長，面臨外貌、能力等方面之改變而感到失落

A07 讀者情緒困擾問題類型：
因身體健康衰退而衍生失落感

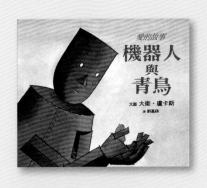

書名／機器人與青鳥
（The Robot and the Bluebird）
作者／文・圖：大衛・盧卡斯
（David Lucas）
譯者／劉嘉路
出版社／臺北市：格林文化
出版年／2008
ISBN／9789861891200

◆ 內容簡介

　　主角機器人的心臟損壞了，幾經修理仍無法恢復正常運作，於是被丟棄到廢物區。自此，它百無聊賴地度過許多時日。

　　入冬後某天，一隻欲飛往溫暖南方的青鳥，停落在機器人的肩膀上；機器人建議筋疲力盡、冷得發抖的青鳥，留在自己原本置放心臟的空間保暖，並稍作休息。當夜，機器人感覺到自己的心再次溫暖起來；於是決定親自護送青鳥到南方。

　　路途上，機器人的身體因天氣惡劣而不斷耗損，以致其抵達目的地時，已用盡所有力氣；於是，它囑咐青鳥以自己的心為家，並張開雙臂，讓姿態像一棵大樹般，便停止再動。此後，青鳥與許多鳥兒皆進住機器人的身軀，並以此為家。

◆ 情節舉例

　　「『我以前的心只會說「滴答滴答」，』機器人說，『可是我的心現在在「唱歌」！』青鳥朝空中再飛高一些，機器人覺得他的心也跟著飛起來。」

　　畫面中，機器人爬上廢鐵堆的高處手舞足蹈，青鳥則在其身旁展翅飛翔。讀者可以從中感受到，機器人因為照顧青鳥而快樂起來；此與主角之前被遺棄的孤寂模樣，形成強烈的對比。由此，讀者會為機器人能在逆境中發現自己的價值，而替它高興。

◆ **情緒療癒效用**

認同

繪本故事描述，機器人的心臟損壞，多次修理仍未能恢復運作；由此，讀者聯想到，許多人上了年紀之後，也和主角一樣，健康不如以往、身體病痛不斷出現，而感到相當困擾；是故，主角的境遇頗能反映出樂齡者的心緒。另外，在看到機器人因損壞而被送進廢物區的情節，也讓讀者覺得，邁入樂齡階段後，亦深怕自己被別人輕視或嫌棄；同時，更會希望自我的價值得到認同和肯定；主角的遭遇，會讓讀者照見個人內心的擔憂。另外，由機器人為了保護青鳥，而需抵受著惡劣的氣候，在寒冬中攀越雪山的畫面，會讓樂齡者想起，過往為了達成目標而經歷過的艱苦時刻，並對主角當下的處境心生認同感。

淨化

故事一開始敘述，機器人因心臟無法修復而被遺棄；主角孤身躺在廢物區，任由風吹雨打、日曬雨淋，臉上流露迷茫的表情，讀者可由此看出機器人內心的失落、頹喪和挫敗感，令人不禁覺得主角相當可憐，更會替它感到難過與不捨。而青鳥的到來，讓機器人的生命出現轉折；看到它為青鳥提供庇護的情節，樂齡者會感受到主角衍生了被需要的價值感，心中因而十分喜悅。閱讀至此，讀者的內心也跟著溫暖起來。

而機器人歷經艱辛將青鳥護送至南方，隨後即耗盡氣力垂下頭；此情節會讓樂齡者覺得心酸，但亦會為其達成最後一個心願，使生命圓滿，而稍感安慰。由機器人身軀成為無數鳥兒的家之結局，讀者會覺得主角以不同的方式延續了生命的價值，並替它高興。另外，機器人張開兩隻手臂，讓鳥兒們站立其上，加上許多動物皆在附近棲息的畫面，十分熱鬧且生意盎然，也讓樂齡者感到喜悅。再者，全書圖畫的用色鮮豔明亮，閱讀起來，會讓人有心曠神怡之感。

領悟

由損壞的機器人在遭到他人的否定之後，能重新振作、付出一己之力保護青鳥的故事，讀者可以領悟到，個人雖已邁入暮年階段，但依然有機會實現自我生命的價值。是故，應避免因身體衰老、健康不如以往，或像機器人一開始般，一旦遭他人否定，便一蹶不振；同時，亦不必妄自菲薄，而是應尋找能讓自己一展所長的場域。再者，吾人也可以學習主角，在遇見需要協助的對象時，便全心全意地幫助對方；如此一來，不僅可讓生命發出亮光，也能對他人雪中送炭。

另外，機器人為了幫助青鳥，甘願忍受冷凜的天氣，咬緊牙關往前走，最終，不但順利護送對方抵達南方，也為自己開創了更大的價值；由此，樂齡者能學習機器人的精神，在老年的人生階段，仍要修鍊韌性，堅持到底，以為個人的生命創造更多的意義與價值。

B 負面情緒調適

◎ 寂寞
◎ 不安
◎ 無力感
◎ 鬱悶
◎ 困乏
◎ 沮喪
◎ 憤怒
◎ 悔恨

覺得諸事皆不順心而悶悶不樂

負面情緒調適——寂寞、不安、無力感、鬱悶、困乏、沮喪、憤怒、悔恨

書名／不快樂的母牛（Misery Moo）
作者／文：珍妮·威利斯（Jeanne Willis）
　　　圖：湯尼·羅斯（Tony Ross）
譯者：林芳萍
出版社／臺北縣：上人文化
出版年／2004
ISBN／9789867517326

◆ 內容簡介

老母牛哞哞習慣以悲觀的角度看待生活中的人事物，覺得任何事情都不順心，因而經常感到不快樂。朋友小綿羊想盡辦法，幫助老母牛轉換角度思考，以擺脫負面情緒，但一直無法改變哞哞悲觀的思維。

久而久之，小綿羊受到母牛的感染，變得時常悶悶不樂，並對生活抱持消極的態度。於是，牠決定不再和悲觀的母牛哞哞見面。

之後，老母牛哞哞發現小綿羊十分難過，於是以對方先前運用的方式，來給予安慰，並坦誠表達心中的關愛之情。由此，小綿羊跳脫了憂傷的情緒；而母牛亦體悟到，應以積極正向的態度，面對日常生活中的種種挫折與煩憂。

◆ 情節舉例

「他們一起共度聖誕節。但是母牛的心情很不好，她看每一件事情都不順眼……」

畫面中，老母牛哞哞和小綿羊一起圍著毛毯坐在樹下，小綿羊神情愉快地勾織毛線，而母牛則一臉憂愁地枯坐著。由此情節，樂齡讀者會感受到母牛頹喪的心情，並聯想起身邊的朋友皆興奮不已，惟獨自己心情苦悶的時刻。

◆ **情緒療癒效用**

認同

由此故事，樂齡者會想到，自己或身邊的親友，有時候也如同書中的老母牛一樣，對周遭的人事物抱持悲觀的心態與負面想法；或在看待某些事件時，別人皆樂觀以對，惟獨自己總是想到壞的可能性等相關經驗。此外，小綿羊為了讓整天愁眉苦臉的母牛朋友開心起來，便運用正向的言詞，引導對方以不同的角度，看待生活中的一切；此讓讀者將過去希望安慰親友，為別人打氣的經驗，投射於小綿羊的角色中，並產生情感和經驗上的認同。

淨化

畫面中，老母牛哞哞不開心的臉孔頻頻出現，讓樂齡讀者感受到牠的憂愁與不快樂；另一方面，小綿羊樂觀與熱情地安慰母牛，其貼心的舉動，會讓讀者感到十分窩心。然而，看到老母牛依舊習慣悲觀的思考模式，甚至使朋友小綿羊受到影響，讓讀者不禁感嘆不已；而小綿羊難過地嚎啕大哭的模樣，更是令人心酸。後來，母牛意識到小綿羊的悲傷心情乃是因自己而起，於是安慰對方，更試著展露生硬的笑容；看到此逗趣的畫面，讀者亦不禁會莞爾一笑。故事尾聲，母牛哞哞和小綿羊雖然淋著雨，但兩人臉上仍掛著笑容，看到牠們快樂的模樣，能使讀者先前沮喪的心情得到安慰，並跟著變得開朗起來。

領悟

故事中，小綿羊總是鼓勵朋友母牛哞哞以不同的角度思考，樂齡讀者能由此領悟到，可以學習小綿羊正向看待人事物的態度；亦即，當遭遇不順心事件時，吾人可嘗試改變不合理的認知，並逆向思考；詳言之，事情是客觀的，但個人的主觀意識如何看待所遭遇的事情，是決定情緒好壞的關鍵，此正是心理學上「理情治療法」（rational emotive therapy, RET）的精髓所在。當吾人能了解，情緒

是人類思維的產物，便能減少其對自身的負面影響，進而能理性地看待眼前的挫折和困境。

另外，就像繪本中，原本樂觀的小綿羊，在與悲觀的母牛朋友相處一段時日後，面對生活的態度也變得消極起來。由此情節，讀者能夠體會到，若個人終日愁眉苦臉，則悲傷的情緒會不斷地擴散，以致周遭的親友也受到影響。準此，吾人應以開朗樂觀的態度，面對生命中的一切；如此，才能將快樂的心情散播給身邊的人們。同時，樂齡者亦會領悟到，個人可以扮演如小綿羊的角色，安慰與陪伴心情低落者，並引導對方正向思考，使之能重拾快樂。

B02 讀者情緒困擾問題類型：
因未能放下對過往的掛念而覺得鬱悶

書名／老象的回憶
（Mémories d'éléphant's）

作者／文：寇琳·賈瑪（Corine Jamar）

圖：卡杭·馬盧（Karim Maaloul）

譯者／周逸芬

出版社／新竹市：和英

出版年／2004

ISBN／9789867942517

◆ 內容簡介

　　森林裡，主角老象經常待在家中回憶過去，甚少與他人接觸。某天，牠打了一個大噴嚏，使其腦海中承載著回憶的許多物品，散落至各處。對此，主角心中十分難過，於是出門尋找。

　　路途中，老象雖然找到自己丟失之物，卻皆發現其他動物，正在妥善地運用這些物品。主角雖然捨不得，但經過一番掙扎後，決定將之留給動物們使用。因此，老象返家時，並未取回任何物品。

　　最終，老象想到自己原本擁有之物，被其他動物賦予新的意義與用途，於是放下了對舊回憶的掛念。同時，牠得以敞開心房，與鄰居們分享旅途中種種新的見聞。

◆ 情節舉例

「一隻小貓睡在一艘紙船上，那是老象小時候，老象的爸爸幫他折的紙船。小貓發出呼呼聲，睡得好甜蜜。老象猶豫了，他不忍心拿走紙船，決定把紙船送給小貓。」

　　畫面中，卡在樹椏上的紙船裡，有一隻小貓在酣睡；而老象站在樹後，意欲用鼻子輕輕拿起小船。由主角的神情，讀者可以感受到，其一方面不忍心小貓失去睡覺的地方，一方面也不想捨棄個人的美好回憶，因此矛盾不已。

◆ 情緒療癒效用

認同

主角老象每天孤單一人坐在家裡，沉浸於過去的美好記憶中，此會讓樂齡者想到，許多人上了年紀後，也會如主角一樣，喜歡緬懷過去，不時念著昔日生活的種種美好，因而會對老象的行徑心生共鳴。同時，一些樂齡者會由此故事聯想到，自己一路走來，心中亦載滿了難以捨去的回憶。而老象因一個意外的大噴嚏，丟失了記憶中的物品，心中難過不已，並焦急地出門尋找的情節，會讓樂齡讀者想到，一些人因患病或意外，而喪失記憶、能力或所愛的人事物，導致情緒低落；因此，會認同老象亟欲尋回失去之物的舉動。

淨化

故事開頭描述，老象終日沉浸在回憶中，但後來，其無預警地失去所愛之物；樂齡者會覺得，主角當下充斥著緊張、惶恐和難過的情緒。後來，老象試圖尋回丟失之物，卻發現這些物品都被其他動物賦予新的用途和意義；由此，讀者能感受到，主角既捨不得，又擔心取回物品時，會造成他人困擾，故矛盾不已。看到此情節，不禁令人替其感到心疼，並希望牠能好好調適過來。而故事敘述，老象並未取回任何的舊物，便返回家中，代表著牠開始放下執著，並能割捨與分享；此讓讀者的心情逐漸開闊起來，原先難受的情緒也得到舒緩。

後來，老象興奮地向鄰居描述，動物們如何使用原本屬於自己的舊物。由此，樂齡者能體會到，主角的心思一方面被旅途中新鮮的人事物所填滿，一方面能與鄰居們交流互動，因而不再有社會孤立的情況，令人不禁為之感到開心；同時，畫面所傳遞的溫馨感，亦會感染到讀者，從而使壓抑的情緒一併消散。另外，此繪本圖畫優美細緻，動物們皆栩栩如生，情節富有想像力，能牽動讀者的情緒起伏。

領悟

　　藉著老象的故事，樂齡讀者可以思考，某些人事物失去了就難以再次擁有，強求只會讓自己痛苦；是故，不如學習放下執著，並懂得斷捨離的藝術，而不必耿耿於懷。換言之，在面臨失落事件時，個人選擇耽溺於失去所愛的感傷中；或是勇敢面對現實，將此失落事件視作人生經歷的一部分，皆盡在自己的一念之間。準此，吾人實可轉念，以不同的角度思考，並探尋失落事件對生命的意義。亦即，不論遇見多少挫折與磨難，生活中有多少橫逆，快樂與否的決定權，完全掌握在自己手上；如此，心寬了，路自然就寬了，此正是所謂「此心安處是吾鄉」的道理。

　　另外，由此故事，樂齡者亦會反思，與他人分享自身擁有之物的行徑，固然值得仿效，但應在經充分考慮後為之；亦即，個人可先作好準備，有計畫地清理用不著的物品，並將之贈予適合的對象，以發揮物品的最大效用。再者，由此故事結局，樂齡者可以體悟到，與其孤身一人悶在家裡，不如踏出家門，體驗新事物，並練習敞開心胸，和親朋好友、鄰居們交流互動與分享；如此，所獲得的滿足與幸福感將遠勝於以往。

負面情緒調適──寂寞、不安、無力感、鬱悶、困乏、沮喪、憤怒、悔恨

書名／幸福練習簿
作者／文・圖：恩佐
出版社／臺北市：大田
出版年／2007
ISBN／9789861790527

◆ 內容簡介

　　此書以輕鬆、簡潔的筆調，配上單幅或一連四格的圖畫，表達出人生中可能遭遇到的境況，並提出本書的核心要旨──「心在哪裡，幸福就在哪裡」。

　　作者在書中描繪出的情景，如人們對愛情、人生際遇、社會環境等的困惑，是許多人常會思考的問題；同時，亦描繪出角色們當下的情緒感受。

　　作者透過此書道出，人生在世，雖然多少會遭遇到不順心的事情，但若能抱持知足常樂的態度，正向思考，並用心注意生活中的美好事物，則處處皆可尋著幸福和快樂。

◆ 情節舉例

「就算許了願也不會返老還童　就算許了願也不會變得富有　許了願來年可否永保安康　許願其實是在實踐一個充滿希望的人生」

　　此四格畫面敘述人們經常許願，以及許下的願望多不會成真的現實。由此內容，樂齡讀者會想到自己和身邊親友，皆不時許下如書中所述的青春永駐、中大獎等難以成真的願望，因而引發共鳴。而作者於此篇的結尾，點出許願為人們帶來希望的道理，亦會讓讀者深表認同。

從孤寂到恬適：樂齡情緒療癒繪本解題書目

覺得生活乏味無趣而感到不快樂

◆ 情緒療癒效用

認同

《幸福練習簿》全書以第一人稱的觀點出發，分五個章節來敘述人們對於自我價值的思考、對未來的想像，以及在家庭關係、人際關係、感情關係等方面的經歷與省察。藉此，讀者可將自身的遭遇，投射於書中所述之情境中，因而對諸多角色人物的處境、心緒與想法有所體會，並覺得作者的思考方向和價值觀跟自己相近，故在閱讀許多篇章時，皆會產生共鳴感。例如，「寂寞的餐桌　寂寞的碗　等待寂寞的人　共進晚餐」之字句，能讓一些樂齡者照見自己親友亦多不在身邊的境況，因而感到心有戚戚焉。

淨化

本書的每個篇章，皆以細膩的圖畫搭配文字，呈現人們在不同情境下的心情寫照，使讀者透過角色人物的獨白，感受到彼等內心的種種情緒；同時，能將自身投射於故事中，並抒發抑鬱煩悶的心情。例如，由「我多久沒看天空了　他跟我原來想的一樣嗎」、「命運的捉弄　也許是考驗我們　何謂懦弱何謂剛強　誰是平凡誰是偉大」等文句，配上色彩繽紛、深具意象的畫面，樂齡者能在閱讀過程中，心情由一開始的唏噓、無奈，轉變為堅定、恬適等正面情緒，並感受到正向思考的力量。

領悟

讀者在閱讀的過程中，能潛移默化地學習故事中的角色人物，以更加積極的態度，面對日常生活中不同的境遇，並活出精彩的人生。如書中提到，「因為想要幸福，所以不斷不斷練習生命中的酸甜苦辣」，樂齡者可體悟到，人生的種種順境或逆境，就是一種發現幸福的過程；經過連番試煉之後，終能感受到幸福的況味。再如書中提到，「試試看，你不在黑暗中，只是缺乏走出來的勇氣」；

看到此文字與其富有意象的畫面，樂齡者會受到鼓舞，並覺得自己該突破困境了。最終，讀者亦可體悟到，本書「心在哪裡，幸福就在哪裡」的核心理念。換言之，儘管生命中有許多挫折之事，但只要轉換心態，用心體會，則每個人皆能得到幸福與快樂。

負面情緒調適──

寂寞、不安、無力感、鬱悶、困乏、沮喪、憤怒、悔恨

B04 讀者情緒困擾問題類型：因不適應新環境而感到失落與沮喪

書名／最好的地方（The Best Place）

作者／文‧圖：蘇珊‧梅朵（Susan Meddaugh）

譯者／柯倩華

出版社／臺北市：三之三文化

出版年／2008

ISBN／9789867295224

◆ 內容簡介

主角老狼一直認為家中的陽台，是世界上最好的地方。一隻在外旅行過的鳥，不甚同意主角的看法。於是，老狼決定趁體力尚可時，親身去旅行看看，並將自己的房子賣給兔子夫妻。

而老狼到處旅行後，仍然覺得原本住處的陽台是最好的；因此，牠返回昔日的居住地，欲向兔子夫妻買回舊居。然而，對方並未答應，老狼遂大吼大哭，發洩負面情緒；此舉讓兔子夫妻和鄰居們飽受驚嚇。之後，主角希望道歉，但卻因一場誤會，而遭到大家驅趕至森林中。

後來，老狼在森林中意外發現更美的景色，遂決定在該處居住；同時，牠亦再次向兔子一家表達歉意。由此，鄰居們皆了解老狼的心意，並前來協助主角建造新房子。新居落成後，動物們在其中聚會，該處因而成為主角心中最好的地方。

◆ 情節舉例

「鄰居們怕問題越來越嚴重，紛紛跑出來救援。狼還來不及解釋，就被他們趕走了。『**走開！**』他們大罵：『**別再回來了！**』」

畫面中，一些動物拿著掃帚，一些則舉著雙手、叉著腰，大家合力將老狼趕走；而主角則急急忙忙地往森林逃跑。對照前頁，老狼希望向動物們示好，不料卻引發一場誤會；由此，讀者可以感受到主角的懊惱與不堪。

◆ 情緒療癒效用

認同

繪本的主角老狼錯賣了原本喜愛的居所，只得另覓他處生活。由此情節，會讓一些搬遷至安養機構，或遷出原本熟悉之社區的樂齡者，想到個人因遭遇到不預期的變故而必須遷居，或覺得決定搬遷時，亦如主角般，未經過深思熟慮；因此，會對老狼的處境和心情，有深刻的體會。

此外，故事描述，長久以來，主角與鄰居關係友好，卻因一場誤會，而被視為邪惡的壞人；由此情節，樂齡者會想起，在人際相處時，憑外表與外顯行為評斷他人，甚至引發誤會或衝突之情事不時發生。閱讀到此，樂齡讀者會將老狼的遭遇，連結到個人現實生活的經驗，而感到心有戚戚焉。

淨化

故事一開始，主角老狼決定出遠門親自探索世界，由畫面中，老狼提著行李箱離家時的神情，樂齡者能發覺牠心中充滿期待；但在旅途中，主角抱怨連連，對此，樂齡者可以看到老狼未能調適新環境的衝擊，更對自己當初的決定感到懊悔；閱讀至此，讀者不禁為牠擔憂不已。

而老狼千方百計仍無法買回已出售的房子，於是忍不住大哭大吼起來，讓鄰居皆受到驚嚇；透過生動、誇張的畫面，讀者能感受到老狼非常難過與焦慮。其後，主角雖然希望道歉，但卻遭到誤解，甚至被趕出村莊；看到牠落荒而逃的模樣，樂齡者可以體會老狼心中的懊惱與錯愕；而想到主角年老、失去居所和朋友，甚至落入人人喊打的窘境，讀者更會覺得牠十分可憐，並為其遭遇感到鼻酸與不捨。

老狼在森林中獨自過了一夜，無意間找到美好的景色，於是不再執著於擁有過去的老房子；此外，主角亦再次道歉，因而重新獲

得昔日鄰居的信賴，並在大家的協助下，建造了令牠滿意的新住所。閱讀至此，樂齡讀者一方面會替主角感到開心，另一方面也為老狼勇於承認個人失當的行為，感到佩服。最後，看到動物們一團和氣地在老狼新居聚首的畫面，令讀者覺得十分溫馨；同時，也覺得老狼能有此結局，實在相當幸運。本書圖畫色彩明亮，角色人物的表情生動，讓樂齡讀者能充分體會動物們的心情，並使個人的情緒隨之起伏，從而舒緩心中的鬱悶感。

領悟

故事的初始，老狼只是聽到鳥兒的話語，便決定賣房子出遠門，但終感到後悔。由此情節，讀者會引以為鑑，覺得個人在做決定時，應多方蒐集資訊，仔細思考並審慎評估，而不應像主角一樣衝動行事；尤其在樂齡階段，若做錯決定，不似年輕時容易扭轉局勢，因此應更加謹慎行事。若面臨到需搬遷至他處者，則可像主角老狼般，邀請親友或昔日鄰居於新住所聚首，以維繫情誼；同時，亦應嘗試在新社區結交朋友，從而建立新的社會連結，如此，便不致衍生社會孤立感。

另外，老狼在無法買回所愛的老房子時，便用大聲咆哮的方式發洩負面情緒，造成他人的驚嚇與不舒服，甚至使自身的形象受損；由此，樂齡者會領悟到，應妥善管理個人的情緒。例如，吾人應如心理學家所建議，以「問題導向」的方式，代替「情緒導向」；易言之，在遭遇不如意之事時，應先設法冷靜下來，並嘗試從客觀的角度，思考問題的解決方法，如此，當可免於陷入情緒的漩渦中。再者，個人應做好自我覺察，若發現自身行為不當侵犯到他人時，即使對方年紀較輕或職階較低，亦應誠心道歉；由此，方能真正解決問題，並可避免產生人際關係上的嫌隙。

書名／躲進世界的角落
作者／文・圖：幾米
◎出版社／臺北市：大塊文化
◎出版年／2008
◎ISBN／9789862130766

負面情緒調適──寂寞、不安、無力感、鬱悶、困乏、沮喪、憤怒、悔恨

◆ 內容簡介

　　主角小男孩覺得自身有許多煩惱，而家人們皆不了解自己的心情。因此，他進入世界的角落，暫時逃離生活中的煩擾。

　　躲進世界的角落後，小男孩看到和自己一樣帶著煩惱的孩子，他們都在此處，得到問題解決的方式；由此，主角想通了諸多生命中的困惑，也找回面對生活中不順心事件的勇氣與力量。

　　最終，小男孩領悟到，雖然種種不盡如人意之事經常發生，但煩惱與問題終究會得到解決。於是，主角走出世界的角落，勇敢面對現實生活。

◆ 情節舉例

「來到世界的角落，請保持安靜，切斷所有聯絡的管道，忘記時間，然後開始去了解這既陌生又熟悉的世界。」

　　畫面中，一個男孩將脫下的上衣和鞋子放在一旁，放鬆地趴在水中漂浮的大樹幹上。樂齡讀者可以由此畫面感受到一股舒適安逸的氣息；同時亦會覺得，自己希望能像書中的男孩般，拋開日常生活中的束縛與壓力，躲進世界的角落中稍事休息，並隔絕外界人事物的干擾。

因覺得生活壓力繁重而衍生倦乏之感

◆ 情緒療癒效用

認同

繪本中的小男孩，因生活中的不如意事而心情煩躁，於是躲進一個不受干擾的安靜角落。由此情節，樂齡讀者會聯想到，個人一路走來，亦曾遭遇許多挫折與不順心之事；有時候，某些事情讓人感到疲乏無力，難以解決，因而心生暫時逃避喧囂、煩躁之事的渴望。書中主角替讀者說出想要安靜獨處，自我對話的心聲；故讓人有所共鳴。

再者，樂齡者亦會由小男孩抱怨大人不了解自己的情節，勾起個人相似的回憶。例如，一些讀者會想到，雖然自身已到了樂齡階段，但年邁的父母，有時仍會加以叨念，小男孩的自白，映照出個人鬱悶的心緒。另外，成年子女也會像主角般，抱怨身為父母的自己；由此，樂齡讀者會發覺，自己彷彿是小男孩所說的「愛擔心的大人」，過於念掛子女生活中點點滴滴。

淨化

本書作者透過描繪「世界的角落」中之種種情景，傳遞出孤單、寂寞、哀傷、快樂等不同情緒，讓樂齡者的心情受到感染，並隨之跌宕起伏；特別是受傷的青鳥得到治癒的情節，能令人覺得，任何錯誤與遺憾，都會有解決的方式，因而使讀者心情放鬆，並釋放出負面情緒。另外，看到小男孩身處在世界的角落裡，不受干擾地思考種種問題，其充滿想像力的思維令人讚嘆。

最後，由小男孩察覺到高牆上有個破洞，便伸手堵住的畫面，讀者能感受到主角盡自己所能，付出微小的力量後，心情變得愉快，因而會令人跟著開心起來。此繪本的圖畫優美、畫風細膩、色彩繽紛，人物形象可愛，樂齡者閱讀時，會感到輕鬆、愉快；同時，畫面意象豐富，文字敘述饒富趣味，處處傳達出充滿希望的感覺，讓人心生幸福與滿足感。

領悟

藉由此書，樂齡者會領悟到，在生活中面臨諸多壓力，或遭遇困難時，個人可學習主角，暫時躲進「世界的角落」，讓自己有獨處的時間與空間，釐清思緒並調適心情，進而得以思考面對困境的解方。其次，像書中文字所述，「如果我們輕易放棄我們該做的，世界同樣也會放棄我們」，由此，讀者可以領悟到，即使身處逆境，仍應堅持自我、努力突破障礙。

而看到小男孩伸手填補高牆破洞的畫面，樂齡者亦可體悟到，自己雖然是渺小的個體，但仍可盡一己之力回饋社會。另外，如同書中結尾所言，每個破洞都會找到補洞的人；由此，樂齡者也能提醒自己，不需過度煩惱與擔憂日常的大小事，任何事總會有其解決之道；倘若遇到一些雖已盡全力，但結果仍未如預期之事，則也不需太過苛責自己。換言之，吾人應放下完美主意的執著，從而讓生活過得更愜意與自在。

B06 讀者情緒困擾問題類型：
對人生抱持消極無望的態度而意志消沉

書名／緋紅樹（The Red Tree）
作者／文‧圖：陳志勇（Shaun Tan）
譯者／余光中
出版社／新竹市：和英文化
出版年／2003
ISBN／9789867942326

◆ 內容簡介

主角小女孩總是悲觀地看待世界，經常從一天的開始，就對生活中的人事物不抱希望，也覺得不好的事情，將會發生在自己身上。

如此憂鬱的心態，讓小女孩整天悶悶不樂，且對於所遭遇的不如意事，感到徬徨無助；她也認為一天的結束，會像一天的開始般糟糕。

某日，當小女孩頹喪地回到家中時，發現自己房間內，悄然冒出一棵象徵著希望和夢想的緋紅樹。後來，隨著緋紅樹成長茁壯，小女孩終找回了面對生活的勇氣與力量。

◆ 情節舉例

「這一天的下場糟得像起頭　可是突然間那東西就在你眼前出現　亮麗而又耀眼　悄悄地等著　正如你夢想的那樣」

當小女孩垂頭喪氣地回到房間，看見地上冒出了代表希望的緋紅樹幼苗後，其臉上浮起一絲微笑。作者透過圖畫與「正如你夢想的那樣」之文句，傳達出「希望始終存於心中」的理念；而在隔頁的畫面中，樹苗長成茂盛的大樹；象徵女孩已一掃先前抑鬱的情緒，心中重獲希望，並露出堅定的笑容。由此，讀者可以感受到書中傳來的一股正能量。

◆ 情緒療癒效用

認同

主角小女孩一開始極其悲觀，對人生感到消極無望，總覺得厄運會一一迎面而來，亦無人傾聽自己的心聲。書中的文字內容與畫面，例如「這世界成了聾掉的機器」、「噩運呢，你休想躲過」等，具體地描繪出人們在心情低落時可能衍生的念頭。由此，樂齡讀者亦會回憶起，自己人生中曾經歷過的無可奈何之事；尤其，個人因遭遇一連串不順心的事件，而感覺極其鬱悶，如同書中諸多對主角負面情緒的描繪一般。是故，故事中小女孩意志消沉的生活態度，使讀者照見個人的處境，並覺得此書能具體地詮釋自己處於負面情緒時難以言諭的思緒，因而產生認同感。

淨化

本書的開頭描繪，女孩一起床即垂頭喪氣，緊繃着臉，出門時，房間更被枯萎的落葉掩蓋；樂齡讀者可從畫面中，感受到主角抑鬱的情緒。接著，一幅幅主角行經之處的圖畫，以巨大的場景呈現出女孩的渺小，強烈地表達出主角無力與世界抗衡的情狀；閱讀至此，讀者的心情亦跟著感到無奈與無助。

故事結尾，畫面的色彩變得明亮，且有陽光照進主角的房間內；同時，緋紅樹的幼苗長成大樹的情節發展，令人感受到主角鬱結的心得到了舒緩，並重拾希望；最後，讀者會因著小女孩露出的笑靨而受到鼓舞，且跟著快樂起來。

領悟

由此故事，樂齡讀者會領悟到，生而為人，遭遇不順心的事件在所難免，正如俗語所云「人生不如意事十之八九」，但吾人仍可將精神專注在十之一二的快樂情事上。而讀者亦能認知到，每件事皆可有正面或負面的解讀；若能正向思考，則心情較能平靜下來，

如此，當能減少其對個人的影響。另外，吾人亦應想方設法，舒緩負面情緒，例如閱讀療癒系圖書、聆聽療癒系音樂、與親朋好友談心、當志工幫助他人等，皆值得一試。

最終，閱讀此書後，樂齡者也能勉勵自己，無論面對多麼煩心的事情，都不必像主角一開始那樣消極，而是要積極樂觀地面對困境與生活中的不如意。尤其應記得，其實每個人的心中，都如書中所述，有著一棵緋紅樹——即內在存有的「挫折復原力」與「心理韌性」。若能善加培養並提升此項能力，則可協助個人在面臨不順心事件時，擺脫負面情緒，走出困境，重啟再奮起的力量。

B07

讀者情緒困擾問題類型：
不知如何舒緩心中的惡劣情緒

書名／壞心情！
（Der Dachs hat heute schlechte Laune!）
作者／文：莫里茲·培茲（Moritz Petz）
　　　圖：艾美莉·賈可斯基（Amélie Jackowski）
譯者／沙永玲
出版社／臺北市：小魯文化
出版年／2007
ISBN／9789862110089

◆ 內容簡介

　　主角獾睡醒時，被一股煩躁的心情籠罩著；經過思考後，牠認為其他人應該要知道自己心情不佳，於是如常出門。一路上，獾肆意地向遇見的動物朋友們口出惡言，發洩怒氣；對此，動物們皆十分錯愕，情緒亦受到影響。

　　之後，獾回到家中工作，壞心情漸漸消散，便去尋找朋友們玩耍；但未料大家皆心情惡劣，並粗暴地對待獾。是故，主角只好難過地返回家中。

　　此時，朋友畫眉鳥來訪，兩人對談後，獾察覺到先前遷怒於他人的不當行為。於是，在畫眉鳥的協助下，主角將心情不好的動物們都聚集在一起，藉此機會坦誠承認自己的錯誤，並真摯地向大家道歉；最終，動物們皆與獾言歸於好。

◆ 情節舉例

「鹿正在盥洗，『哈囉！獾，睡得好嗎？』『不干你的事。』獾說。『好吧！算我多管閒事，對不起！』鹿說。嗯，很好！獾心想，現在鹿和浣熊都知道我心情惡劣了！」

　　右頁畫面中，鹿高興地向獾打招呼，而獾則一臉怒容，態度惡劣地回應對方友善的問候。另一頁的圖畫，則描繪鹿露出錯愕、驚

訝的表情。讀者會由此想起，有許多人在壓力繁重或心情不佳時，容易對身邊的親友惡言相向，讓他人無辜遭到波及，因而引發共鳴感。

◆ **情緒療癒效用**

認同

故事中，獾一起床便沒來由地心情惡劣；由此情節，可讓樂齡者聯想到，自己或身邊的親友，有時也會莫名地情緒不佳。其次，讀者也會連結到，無論是什麼年齡層的人，在心情不好時，偶爾會如同主角一般，有意無意地將壞心情掛在臉上，甚或口出惡言，希望藉此引起關注。另外，樂齡者亦能勾起自己遷怒他人，或無故遭別人遷怒的經驗。凡此，皆令人覺得此繪本故事的內容，十分貼近日常生活的情境，因而產生認同感。

淨化

整篇故事以主角獾和森林中動物們的壞心情為主軸，敘述彼等因未能妥善調適負面情緒，導致大家感情產生嫌隙的經過。樂齡者在閱讀過程中，會因主角和動物們關係受挫，而產生擔憂、難過的心理感受。

後來，獾察覺到係源於自己心情惡劣，粗暴地對待他人，使大家都感染到壞情緒；對此，主角覺得非常懊惱，樂齡者亦會為之心生感嘆。而獾得到畫眉鳥的幫助，終能順利與朋友們重修舊好；同時，畫面描繪出主角道歉後，大家皆露出愉悅的神情；由此，讀者能放下心中的大石頭，並為動物們的大和解感到格外欣喜與溫馨。而獾勇於承認錯誤，積極解決問題，讓大家得以跳脫惡劣情緒的態度與作法，亦令人感到相當佩服。

領悟

閱讀本書之後，樂齡者會反思，個人平日處理負面情緒的方式為何；同時，也會警惕自己，應避免像主角獾和動物們一樣，因壞心情作祟，便對周遭他人口出惡言。另外，由主角在花園工作，從而恢復好心情的情節，樂齡者亦能體悟到，轉移注意力、專注在喜歡的工作上，都是舒緩負面情緒的有效方式。而每個人皆需要經常進行情緒的自我覺察，並加以調適與管理；如此，方能避免像獾一樣，因情緒管理不佳而讓人際關係產生負面影響，甚或導致個人形象受損。

在繪本結局中，獾藉由派對，製造機會向朋友們道歉；由牠劍及履及地以實際行動來彌補自身錯誤的情節，樂齡者亦會領悟到，縱然身為長輩，但若察覺到所做之事干擾到他人時，也應該儘快向對方表示歉意。事實上，誠心道歉並不會讓自己的形象受損，反而更能贏得他人的敬佩與尊重。再者，看到獾因朋友畫眉鳥的協助，而得以覺察到自身的不當行為，並想出解決問題的方法；讀者可由此得到啟發，若個人遭遇難題時，不妨尋找可信賴的朋友傾訴心聲；如此，當能避免獨自苦惱，亦能有助於釐清問題，並早日尋得解方。

C 自我實現

◎ 怯於實現夢想

◎ 放棄理想

◎ 妥協於現實

自我實現
──
怯於實現夢想、放棄理想、妥協於現實

書名／希望牧場（希望の牧場）
作者／文：森 繪都
　　　　圖：吉田尚令
譯者／周姚萍
出版社／臺北市：小魯文化
出版年／2016
ISBN／9789862115978

◆ 內容簡介

　　主角是一位居住在日本福島的養牛人，以飼養肉牛維生。2011年3月11日，福島發生強烈地震，導致附近的核能發電廠輻射洩漏；人們皆緊急撤離，留下未能及時帶走的動物。

　　災難平息後，政府促請核電廠周邊的居民搬離該處，但主角思考過後，決定返回家中居住，並堅持身為養牛人的責任，繼續餵養受輻射污染而無食用經濟價值的牛隻。

　　後來，主角的堅持得到日本各地關注，於是開始獲得外界人力與資源方面之協助，甚至有人特地前來觀光。主角在逆境中懷抱希望，持續努力奮鬥的精神，為災後的福島帶來希望之感，其牧場也因而被稱為「希望牧場」。

◆ 情節舉例

「只因為那裡飄浮著看不見的輻射，這個小鎮──我們的家鄉，便消失了。」

　　在畫面中，暗綠色的鄉間田野，讓人感覺沉重、了無生氣；此畫面與前頁所描繪，核災發生前生意盎然的景象，產生強烈的對比，讓讀者不禁感到一陣揪心。

找不到生活的目標和意義而感到茫然不安

◆ 情緒療癒效用

認同

此書以真實事件為故事藍本，且畫風寫實，容易引起樂齡讀者的共鳴。此故事的主角，在遭遇核災的重大變故後，仍然堅持身為養牛人的職責，不計成本地養活無經濟價值的牛隻。由此，讀者能將自身對於所愛人事物的執著心理，投射到主角身上，並覺得自己偶爾也基於責任使然，堅持著一些不知是否有意義的事物。再者，肩負長期照顧責任的讀者，會覺得自己無時無刻地照顧他人，不知何時方能卸下重擔的生活，與故事中的養牛人有異曲同工之妙，故能充分了解主角的處境。同時，主角的家鄉，因遭遇重大災難而不再適合居住，由此，會令人聯想到，一些熟悉、帶有回憶的地方，在經歷天災或都市發展後，變得不一樣，因而能體會主角面對災難和變故的種種心緒。

淨化

書中敘述，日本福島因地震與海嘯，引發核輻射洩漏的災難，導致周遭居民都無辜遭殃，須放棄自己的家園遷至他處。樂齡讀者看到此情節，會感嘆主角突然遭遇此等變故，並覺得唏噓不已。而主角堅決地留守在該地，餵養失去經濟價值的肉牛，讀者能體會到他的為難處境。後來，當主角開始猶豫是否仍要堅持繼續餵養牛隻時，其矛盾的心情感染了讀者；同時，主角不捨地看著虛弱的牛隻死去的情節，亦讓人感到心酸與嘆息。

最終，看到養牛人的堅持獲得了社會關注，且漸漸得到外界的援助時，樂齡者會佩服主角面對逆境的強大意志力與心理韌性，也會為他尋得持續餵養牛隻的意義所在，而感到欣慰。此等故事的結局，可讓樂齡者一掃先前的負面情緒，並心生一股勇往向前的力量。

領悟

閱讀完此故事，樂齡者可反思自己面對人生逆境時的態度。書中的養牛人，在面對不可逆的突發事故時，雖然初始時被絕望與哀傷感籠罩著，亦不知未來何去何從；但他仍懷抱著能復原的希望，並一直堅持信念，進而用正向的態度，持續承擔養牛的責任，終從低谷重新奮起。由此，吾人可學習養牛人的堅韌精神，在遭逢逆境時，應以堅強的意志力與信念，堅持欲達成的目標，終會尋得新的人生意義和價值，甚或能凝聚志同道合者；此即所謂「願力有多大，能力就有多大」的道理。

再者，樂齡讀者亦會以養牛人的故事為鑑，並由此反思，雖然堅持到底的態度值得學習，但仍應體察大環境的趨勢，且仔細評估需付出的代價與利弊得失；若在思考清楚後，選擇斷然放手，將資源投注在其他有意義的事情上，也不失為妥適的選擇。其次，亦應多考慮周遭不同的立場，避免因一己的堅持而使他人權益受損，甚或對社會造成負面影響。另外，繪本的故事背景，是一宗由地震引發核輻射外洩的災難事件，樂齡者可由此領悟到，在當代社會中，不可預期的天災人禍隨時可能發生，所謂「天有不測風雲，人有旦夕禍福」；是故，吾人平時即應規劃相應的措施，做好心理準備，以免應變不及，而徒留遺憾。

C02　讀者情緒困擾問題類型：
因人生中的種種遺憾而引發的沉鬱與失落心情

書名／走在夢的路上（El viaje de Pipo）
作者／文‧圖：刀根里衣
譯者／熊苓
出版社／臺北市：格林文化
出版年／2015
ISBN／9789861896427

◆ 內容簡介

主角小蛙皮波突然失去了作夢的能力，因而十分難過。某夜，牠遇見一隻知道如何進入夢境的小羊，於是跟著對方進入夢中穿梭，希望作夢的能力可以恢復。

在多個豐富、繽紛的夢境裡，皮波和小羊遇見許多動物與植物，牠們皆懷有不同的心願和夢想。在一個寒冬的夢中，皮波獨自前進，因而與小羊分開了一段時間。

後來，皮波想念小羊，亦察覺到小羊在自己心中的重要性；同時，牠也得知對方一直在尋找自己。於是，已恢復作夢能力的主角，越過不同的夢境，與朋友小羊再次相聚。

◆ 情節舉例

「一月的第一場大雪把皮波淹沒。在森林中，他覺得很寂寞。小羊去哪裡了？」

整個畫面幾乎被白雪淹沒，隱約可見主角皮波一人站在雪地中，神情茫然地望著前方。由此畫面，樂齡者會勾起過去的人生經歷，並回想到某些需要獨自面對的艱苦時刻，故能深刻體會到主角失落、孤單的心情，亦會為其孤身一人面對惡劣環境的遭遇感到心酸。

◆ 情緒療癒効用

認同

主角小蛙皮波一開始因無法作夢而感到失落，此如同一些人，由於自覺年事已高，剩下的日子不多，故有放棄夢想或追尋人生目標的念頭；有相似遭遇的樂齡者，能體會到主角的迷惘心緒。此外，皮波無法作夢的情況，亦會讓一些樂齡者覺得，此如同傳統上，許多女性需將自己奉獻於家庭，而難以擁有個人夢想，因而對主角的境況有所共鳴。

另外，主角皮波為了恢復作夢的能力，而踏上了尋夢之旅。此情節讓樂齡讀者聯想到，個人因年紀增長而漸漸失去某些能力，並曾想重新鍛鍊自我，以適應環境變化的經驗。而皮波隻身在雪地前進的畫面，讓一些樂齡者想到，自己過去亦曾面對逆境，且身邊無人能支援自己，遂對主角的境遇感到心有戚戚焉。

淨化

故事中，主角皮波發現自己無法作夢，樂齡讀者可由其鬱悶的表情，感受到牠心中的焦慮、擔憂、不安和無助感。後來，主角跟隨小羊一起在夢境間遊歷的畫面，會讓樂齡者湧起一股希望之意，且跟著愉快起來。後來，皮波一度離開了小羊；從牠在雪地中踽踽獨行的畫面，讀者可感受到其心中的孤單感；另外，書中更敘述主角思念小羊陪伴在身邊的時光，由此，讀者也會為之感到難過與不捨。

故事結尾，皮波恢復了作夢的能力，並穿越夢境，奔跑至小羊身邊；閱讀至此，讀者會與主角產生情緒上的共鳴，心情從過去的寂寞與失落，轉為和摯友重逢的欣喜之情，並羨慕皮波擁有能分享喜怒哀樂的友伴。此繪本的圖畫優美，色彩鮮艷豐富，結局圓滿，讓人閱讀後能重新燃起心中的希望。

領悟

透過主角皮波尋回作夢能力的過程，能使讀者體悟到，在漫漫的人生路上，需要帶著堅毅不拔的精神，來追尋夢想與面對挑戰。此外，故事情節敘述，一隻金魚希望自己能有腳踏遍全世界，而水母則希望可與星星起舞；樂齡者可以由此參悟到，即使是看似不可能達成的夢想，仍不應放棄；吾人可透過完成大大小小的目標，來一點一滴接近心中的理想。

由小蛙皮波透過跟隨小羊到處遊歷，藉以找回作夢能力的情節，樂齡者會領悟到，當遭遇困境時，若一直處在同樣的環境，則較難為現況帶來改變。準此，個人應學習主角，勇敢踏出舒適圈，多接觸不同的人事物，以激發更多新的想法；最終，當可找到解決問題的方式，繼而能走出困局。另外，主角因著朋友小羊的協助和陪伴，終能跨越困境，達成目標；由此，樂齡者會領悟到，個人也可透過尋求親友的支持或協助，以讓自己更有力量去追求人生的理想。

C03

自我實現
——怯於實現夢想、放棄理想、妥協於現實

書名／叔公的理髮店（Uncle Jed's Barbershop）
作者／文：瑪格麗・金・米契爾
（Margree King Mitchell）
圖：詹姆斯・瑞森（James Ransone）
譯者／柯倩華
出版社／臺北市：三之三文化
出版年／2001
ISBN／9789572089026

◆ 內容簡介

女孩小珍的叔公傑德是黑人社區惟一的理髮師，他的夢想是擁有自己的理髮店。然而，時值經濟蕭條，人們普遍都相當窮困；不過主角仍努力存錢，希望能圓夢。

後來，小珍生病需要開刀，於是叔公動用個人儲蓄，支付高昂的醫療費用，延遲了開店的計畫；數年後，當他幾乎存到足夠開店的資金時，卻因銀行倒閉，而失去所有存款。對此，主角感到非常失望與氣餒，但仍重新振作，繼續存錢。

最終，叔公七十九歲時，其個人的理髮店終於開張，昔日的顧客紛紛前來祝賀，使叔公和親友皆十分欣喜與感動。在達成心願後不久，主角便過世了。而小珍則從叔公身上，學習到堅持初衷、永不放棄的精神；如此，看似遙不可及的夢想，亦終會有成真的一天。

◆ 情節舉例

「事情做完了，他把我抱起來放在腿上，告訴我有一天他會開一間理髮店，會有許多豪華的設備。」

金黃色系的房間內，傑德叔公舞動著雙手，向坐在腿上的姪孫女小珍，訴說自己開理髮店的夢想。畫面中，叔公與小珍微笑著對視彼此，讀者能從中感受到一股溫馨之意，也令人期待叔公的夢想得以實現的時刻。

◆ **情緒療癒效用**

認同

本書描述的故事摻入真實的歷史背景，具寫實性，能讓樂齡讀者投入其中，進而引發更深的認同感。而此繪本透過女孩小珍的視角，描述主角傑德叔公待人處事的態度與其對夢想的執著，以及她從主角身上學習到的精神。此等情節會讓讀者聯想起對自身有正面影響的重要他人，而容易將自己投射在女孩小珍身上，並對故事內容產生許多共鳴。

另外，本書亦描繪出，叔公在追逐夢想的過程中，遭逢了一連串的意外和挫折事件；讓一些自覺曾遭遇諸多逆境的樂齡者，將叔公的人生和自身相比擬；且更會認為，個人昔日的辛酸感受，獲得了主角全然的理解；同時，亦能對叔公的遭遇心生認同感。

淨化

故事描述，傑德叔公懷有開理髮店的夢想，但時值經濟蕭條的年代，故無人認為他會成功。看到主角雖然了解現實的艱難，但仍努力為夢想打拼，其認真堅持的態度令讀者十分佩服。而叔公甘願花費努力攢得的積蓄，以支付小珍的醫療費用，其對金錢物質看得開的態度，令人欣賞與感動。後來，銀行倒閉，致使叔公失去所有存款，讓其開店的夢想再度受挫；叔公不順遂的遭遇，使讀者一同感到心酸難過。當看到主角雖然屢次遭遇挫折，卻未曾發出怨言，且依舊保有慈愛祥和、沉著冷靜，並能重新振作起來；由此，可見主角具有良好的人格特質以及情緒調適能力與心理韌性，亦令樂齡者佩服不已。

後來，叔公苦盡甘來，達成擁有自己的理髮店之夢想，令人相當振奮。畫面中，一群老顧客聚在叔公的理髮店裡道賀，使讀者感到一股喜氣、熱鬧、溫馨的氛圍；同時，也為主角終夢想成真而喝采，且羨慕他的好人緣。故事結尾，呈現主角在自己的理髮店，像

從前一樣替長大成人的姪孫女小珍按摩的畫面；看著小珍成長，叔公變老，彼此之間的感情不變，令讀者覺得非常感動與溫暖。而主角在實現夢想後，不久即離開人世的情節描述，一方面令人覺得叔公的心願已達成而感到欣慰，一方面也會感嘆不已，並希望他能長壽一些。

領悟

閱讀此書後，樂齡讀者會思考，個人心心念念，希望能達成的目標有什麼；同時，亦會受到鼓舞，進而能將自己的理想勇敢實踐出來。看到繪本中的叔公，雖經歷了多次挫敗，但仍對生命抱持樂觀與淡定的態度，讀者會由此體悟到，在實踐理想與目標的過程中，應當堅毅且具有心理韌性，以面對大大小小的挫折和困境；當吾人能像叔公一樣，放下顧慮，堅持到底，永不放棄，夢想終究會成真。

另外，叔公不惜耗盡為了圓夢而儲蓄的資金，協助親人度過難關的情節，讓樂齡者體悟到，親人間的情誼相當珍貴，故不應為了身外之物而起紛爭；此外，也會覺得主角對金錢使用的豁達態度，值得所有人學習。

C04 讀者情緒困擾問題類型：
怯於實踐人生的目標和理想

書名／花婆婆（Miss Rumphius）

作者／文‧圖：芭芭拉‧庫尼
（Barbara Cooney）

譯者／方素珍

出版社／臺北市：三之三文化

出版年／1988

ISBN／9789578872578

◆ 內容簡介

主角艾莉絲小時候，常跟在爺爺身邊，耳濡目染之下，她立志一生中要完成三件事——到遙遠的地方旅行、住在海邊、做一件讓世界變得更美麗的事。

成長後，艾莉絲便開始實行第一個理想，至遠方旅行。而在某次的旅途中，主角因意外受傷；於是，她決定實踐第二個志願，在一個海邊的城鎮，定居下來休養。偶然間，她發現可以透過種植魯冰花，讓世界更美麗；因此，她不斷在行經之處播下種子，使魯冰花在隔年盛開。如此，艾莉絲生命中的三個志願皆達成了。

邁入樂齡階段的艾莉絲，因撒下魯冰花種子而被人稱為「花婆婆」；同時，她亦向親友兒孫分享個人的生命經歷，從而讓他們將「做一件讓世界變得更美麗的事」，視為人生中的重要目標。

◆ 情節舉例

「整個夏天，她的口袋裡裝滿了花種子，她一面散步，一面撒種子。……只要她經過的地方，她就不停的撒種子，這裡撒一點，那裡撒一點……」

頭髮發白的艾莉絲，在生活中所經過的每一條路上，撒下魯冰花的種子；而周遭的人們，皆對主角投以不可思議的眼光。看到主

角艾莉絲能找到以撒播花種子的方式，達成小時候與爺爺的約定和個人畢生的願望，且不畏他人的異樣目光，堅持到底；其堅強的意志力，會令讀者深感佩服。

◆ 情緒療癒效用

認同

觀看艾莉絲從兒時到老年的人生故事，樂齡讀者會由此回想起，自己年輕時亦和主角一樣，經歷過許多人情世故；例如在不同的地區居住過，或與各種不同文化背景的人交往。此外，也會勾起自己曾經擁有環遊世界、讓世界變得更美好等與主角相似的夢想，但終因為年齡、家庭責任等因素而擱置；故此，讀者會將個人內心的渴望投射至主角身上，進而對繪本故事產生認同感。

另外，主角艾莉絲在旅行期間意外受傷，以致需要臥床休養，同時得放棄到處旅行的生活；此如同一些樂齡者，因遭遇意外事故，或健康衰退等因素，而必須改變原本規劃好的人生，是故，會覺得主角的處境和自己如出一轍，並衍生心有戚戚焉之感。

淨化

繪本描述，主角艾莉絲壯年時到處旅行，卻因意外受傷而必須終止；遭遇此不如意事件，樂齡者會覺得主角有受到束縛之感。但她並未因此一蹶不振，甚至能坦然放下遺憾、不甘等負面情緒，繼續完成其他的人生志向；以上的情節，讓樂齡讀者一方面感覺到艾莉絲由鬱悶轉為喜悅的心情，另一方面，亦由衷佩服她適應生活的堅韌力。

在傷癒後，艾莉絲即刻將到處種植魯冰花的念頭赴諸行動。看到主角愉快地撒著種子，以及其後城鎮中處處盛開著魯冰花的美景，樂齡讀者會高興主角達成了畢生的志願，並且心生感動；同時，也會欣賞她的執行力。由此，讀者原先因自我價值感低落而衍生的

迷惘心情會得到舒緩，並獲得實踐夢想的勇氣和力量。再者，此繪本的色彩柔和，構圖與畫風皆十分優美，讓人閱讀後覺得相當溫馨，且容易感染到書中傳來的正面情緒。

領悟

由花婆婆艾莉絲的故事，樂齡讀者一方面會體悟到，人生無常，難以一輩子都平平順順；另一方面，則會反思，當不如意事件發生，如自己或親友遭遇疾病、意外事故等，則可學習主角，適應生活中的變化，以及調適伴隨而來的壓力和負面情緒。之後，也應探索現階段可行的人生目標，並擬訂出具體的執行計畫。再者，讀者亦可從書中領悟到，即使邁入樂齡階段，身體狀態不及年輕時強壯，但仍能有所作為，協助營造更美好的和諧社會；例如，可像花婆婆一樣，種植花卉美化周遭環境、將「每個人皆可讓世界更美麗」的理念，傳承給他人與後輩，或是到相關機構擔任志工，幫助有需要之人等。由此，當能滿足自我現實的需求，並建立自我價值感。

另外，讀者亦能效法主角，秉持初心、不畏他人取笑，抱持鍥而不捨的態度，以及「說做就做」的行動力，並把握機會將個人的理想赴諸實行。如此，方可「築夢踏實」地讓自己的夢想成真，最終，能預約幸福的樂齡人生。

自我實現——怯於實現夢想、放棄理想、妥協於現實

書名／超級烏龜（슈퍼 거북）
作者／文・圖：俞雪花 (유설화)
譯者／張琪惠
出版社／臺北市：三之三文化
出版年／2016
ISBN／9789865664206

◆ 內容簡介

主角烏龜慢慢在一場賽跑中，幸運地贏過兔子後，頓時成為鎮上的明星，並得到許多動物的擁戴。但因主角天生的速度並不快，於是牠決心要鍛鍊自己，以免讓支持者失望。

經過一段時間的特別訓練後，主角成為跑步飛快的「超級烏龜」，但牠也因而覺得疲累不堪。後來，兔子提出重新比賽的挑戰，主角雖不想答應，但仍因他人的期待而無奈接受，更焦慮至失眠。

比賽時，主角一開始雖跑得較兔子快；但牠卻因疲累不已，決定在路途上睡一覺，以稍事休息，導致被兔子超越而落敗。自此，烏龜慢慢得以卸下明星的光環，快樂地重新做自己。

◆ 情節舉例

「慢慢早上照鏡子時，被自己嚇一大跳！他看起來就像老了一千歲。」

畫面中，主角站在鏡子前，雙眼佈滿血絲，且面容黯淡。鏡子上，貼著數張寫上訓練目標的紙條，鏡前亦放著一本伸展操的圖書，顯出主角極力進行訓練的酸楚。看到牠疲憊不堪的模樣，樂齡讀者不禁會感到鼻酸。

◆ **情緒療癒效用**

認同

此故事是著名寓言「龜兔賽跑」之延伸，樂齡讀者會覺得有熟悉感，故更能引發想像力與閱讀興趣。繪本的主角烏龜慢慢在因緣際會之下，賽跑贏過兔子，並變成名人；之後，牠為了不讓別人嘲笑，便刻苦地鍛鍊自己，終成為真正跑得較兔子快的烏龜。然而，看到主角慢慢在訓練之後的疲累姿態，會讓樂齡者照見，個人由於受到環境與責任所趨，或為了符合職場的需求與迎合他人的期待，而努力學習新知、熟練自己不感興趣之事，甚至忽略本性和喜好，致使身體或心靈上疲乏不已的模樣。另外，主角因背負了他人的期待，導致與兔子重新比賽前緊張得睡不著的情節，也會令讀者連結到個人相似的生活經驗，並感到心有戚戚焉。

淨化

烏龜慢慢勝出賽跑後變得知名，不過，當其他動物發現主角原本的速度並不快時，便對其投以嘲笑的眼光，甚至揶揄一番，讓牠感到無比的難堪；由此，樂齡者能體會到，主角因背負名人光環而壓力沉重的處境相當可憐。後來，主角下定決心，要當名符其實，跑得較兔子快的烏龜，於是日夜不歇地操練自己；由牠訓練時充滿鬥志、竭盡全力的模樣，令人覺得相當振奮。接著，看到主角練成了驚人的速度，令所有動物皆讚嘆不已，也讓樂齡者感到相當佩服，並讚賞其堅毅的態度與意志力。

然而，主角因過度操練而覺得體力耗竭，自覺「老了一千歲」，更心生恢復緩慢生活的念頭；由此，樂齡者會感受到，主角因失去生活品質和樂趣，而衍生疲乏與失落感；同時，也不禁為牠一直活在他人的期待中而嘆息。看到烏龜慢慢不得已接受與兔子重新比賽的邀請，但也因而相當緊張焦慮的情節，亦讓人覺得心疼與不捨。最後，主角雖然有能力勝出，卻決定要在途中稍作休息，以致在比賽中落敗，

也從此脫離身為名人的羈絆。看到主角終能微笑著睡覺、澆花、游泳等畫面，可見牠重拾了生活中的恬適自在，讓讀者心中的擔憂和緊張感，也一併隨之消散。

領悟

故事中，烏龜慢慢經過一番努力後，雖然能贏過兔子，但最後因忠於自己內心的渴望，而輸了比賽，但也由此找回自己所愛的生活方式。透過本故事，會引發樂齡者思考，在人生的歲月中，儘管曾因形勢所趨、他人的期待、個人責任等因素，而必需將相當的時間和心力，投注在和自己個性、專長、興趣相悖的事情上。但吾人仍可學習主角烏龜慢慢，嘗試勇敢做自己，認清個人的專長與喜好，而不應只是迎合他人的期待。易言之，在樂齡階段，吾人更應傾聽內在的聲音，仔細檢視自身所欲追求的生活，與社會對個人期待之間的落差；在細心衡量種種得失之後，再作出相應的決定，從而能活出真正的自我。

C06 讀者情緒困擾問題類型：
行事作風與主流價值觀不同，而感到壓抑與不快樂

書名／愛花的牛（The Story of Ferdinand）
作者／文：曼羅・里夫（Munro Leaf）
　　　　圖：羅伯特・勞森（Robert Lawson）
譯者／林真美
出版社／臺北市：遠流
出版年／1999
ISBN／9789573236863

◆ 內容簡介

　　牧場裡的小公牛，多喜歡到處跑跳，或頂著頭互相撞來撞去，希望將來能有機會參加鬥牛大會；惟獨主角費迪南對這些活動不感興趣，只喜歡安靜地聞花香。

　　費迪南與同伴們長大後，有人來到牧場挑選鬥牛大會的公牛；費迪南無心於此，於是悄然走開。此時，牠卻意外地被大黃蜂螫到，並因疼痛難耐而橫衝直撞，令人感覺其十分兇猛。於是，人們挑選了費迪南，將之送到鬥牛場。

　　進入鬥牛場後，費迪南嗅聞到，觀眾席中女士們頭上插著鮮花的氣味；於是，牠不理會鬥牛士的挑弄，怡然自得地坐在地上聞花香。對此，人們束手無策，遂將費迪南送回牧場。由此，主角得以重新過著恬適自在的生活。

◆ 情節舉例

「不論鬥牛士怎麼挑逗，費迪南都不想同他們爭。牠只是坐著聞花香。所有的人氣得都在跳腳，特別是大鬥牛士…。」

　　鬥牛場中央，主角費迪南靜靜地坐著聞花香，不被身旁的鬥牛士干擾；由此畫面，讀者可以感受到費迪南心中的沉靜和專心自在，與氣急敗壞的鬥牛士形成對比。此外，一些樂齡者亦會回憶起，在動盪的時局中，自己也曾像主角一樣處變不驚，不欲與他人競爭，因而引發深深的共鳴感。

◆ **情緒療癒效用**

認同

主角費迪南雖然出身於培養鬥牛的牧場，但其對與他人互相競爭之事不感興趣。由此，一些樂齡者會覺得自己如同主角一般，即使社會環境競爭激烈，個人仍喜歡安靜且低調地做事，不好爭名奪利。而費迪南個性與眾不同，經常獨自在樹下聞花香的情節，會使讀者聯想到，自己也會因與多數人行事作風或價值觀不同，導致難以找到志同道合者，故會對書中主角的處境感同身受。

再者，看到費迪南因遭蜜蜂螫到，而做出有悖於其本性的激烈行為，樂齡者亦會想起，在面對意外或巨大壓力時，人們或多或少皆會像主角一樣，表現得異於平常，甚或招致他人誤會。此外，費迪南因為該意外事件，而被送至鬥牛場的情節，也會讓讀者聯想到自己的相似經驗，如被不明所以地被推上火線，或為了迎合他人的期望與履行責任，不得已地違背個人的本性做事等。

淨化

故事一開始，讀者即能感受到費迪南聞著花香時，悠然自在的心情。之後，生性溫和的主角，陰錯陽差之下被選為鬥牛大會的主角，看到牠坐在車上，徐徐離開牧場的畫面，樂齡者不禁會替牠感到擔心與不捨；同時，看著主角從此失去怡然自在的生活，亦會讓人為之嘆息。

在鬥牛場上，費迪南面對許多觀眾的注目，以及鬥牛士的挑弄，而牠卻能不受影響，自顧自地聞花香；由此可見，費迪南在巨大壓力之下，仍能保持初心，讓樂齡者覺得十分欣賞與佩服；同時，也會為牠堅持自我、處變不驚的表現喝采。故事的最後敘述，費迪南歷經一番波折後，終化險為夷，平安回到家鄉，繼續過著其所喜愛的生活；閱讀至此，樂齡者會覺得鬆一口氣，且格外替主角感到高興；並為這個美好的結局而心情愉悅。

領悟

公牛費迪南一直堅持自己的初心，不受周遭環境影響，亦不在意他人的眼光，且未迎合主流的價值觀；牠此等強韌與剛毅的生命態度，十分值得樂齡讀者學習。閱讀本書後，讀者會受到鼓舞，進而覺得自己也應堅守個人的信念，並勇敢地將之實踐出來；如此，便不會因而徒增煩惱，甚或能如同主角一般，得以按個人意願，安然自在地過生活。

再者，由此繪本，也能讓樂齡者反思，是否要有所堅持是一體兩面的。有時候，因應環境的變化，調整個人的心態與行動，可以讓生活過得更好；而有時候，則需堅持自身的信念與目標，並勇敢面對外在的壓力。準此，吾人應保持開放的心胸，審時度勢；如此，方能活在當下，並作出對個人和社會皆有益的選擇。

D 家庭關係

◎ 與父母、配偶、兒女、同住
　親友之間的互動與摩擦

家庭關係──與父母、配偶、兒女、同住親友之間的互動與摩擦

書名／小貓玫瑰（Rosalind das Katzenkind）
作者／文：皮歐特‧魏爾康（Piotr Wilkoń）
　　　圖：約瑟夫‧魏爾康（Józef Wilkoń）
譯者／陶緯
出版社／臺北市：上誼文化
出版年／1991
ISBN／9789579691482

◆ 内容簡介

　　黑貓嶺上，住著一個世代都是黑貓的家族。然而，貓夫人生下的一窩小貓中，卻有一隻全身皮毛都是紅色的。對此，貓老爺感到相當詫異與難過。

　　而紅貓玫瑰除了外表獨樹一幟外，其行為、喜好、價值觀，也迴異於其他貓咪，因此讓兄弟姊妹和鄰居們感到十分困擾，貓老爺與貓夫人亦為此煩惱不已，玫瑰也倍受壓力。在某次與家人爭執過後，玫瑰決定離家，過自己的生活。

　　一段日子後，黑貓家族在電視上，看見知名的搖滾明星正是玫瑰，對此，貓夫人感到非常驚喜與興奮。其後，玫瑰帶著自己的孩子，回到黑貓嶺與家人團聚。由此，紅貓玫瑰和父母終互相接納與和好。

◆ 情節舉例

「⋯玫瑰根本沒想過要捉老鼠，她跟一群老鼠又唱又跳，像跟最要好的朋友在一起玩一樣。左右鄰居都很生氣，再也不願意踏進關家大門，⋯關老爺因為煩惱過度，原本烏黑的頭髮已佈滿了銀絲。」

　　在捉老鼠課中，小貓玫瑰和一群老鼠快樂地玩耍起來；畫面右下角，玫瑰的父親在籬笆外默默觀看，臉上掛著驚訝、難以置信的表情。樂齡者可以由此畫面感受到，貓老爺心中極其擔憂和煩惱，亦不知應如何勸說和導正孩子的行為。

未能和子女順遂溝通而感到挫折與煩惱

◆ 情緒療癒效用

認同

此繪本敘述黑貓父母與獨樹一幟的孩子紅貓玫瑰互相磨合的過程。閱讀此書時，讀者會想起自己和子女相處的諸多情形。而主角玫瑰不止毛色與家族中所有成員相異，其個性、行事作風也與眾不同，令父母十分頭痛；讀到此處，樂齡者會聯想到，兒女有時亦如同主角一樣做出拂逆的行為，而讓自己感到難過、生氣和煩惱；因此，十分能同理貓老爺和貓夫人的感受。此外，玫瑰和父母爭執的情節，也會勾起樂齡者與子女意見相左而互相負氣的回憶。再者，故事描述，玫瑰也生出了一隻毛色、言行皆和其他兄弟姊妹相異的小黑貓，但主角仍對其疼愛有加；由此，樂齡者會想到，自己有了孩子後，方知為人父母的辛苦；同時，也會聯想到，無論子女的個性與價值觀，是否和自己截然不同，甚或行為背離父母的期待，但個人終究仍疼愛著他們。

淨化

主角玫瑰小時候，因天生的毛色與所有親人不同，而遭到父親排斥的情節，樂齡者會覺得主角很可憐。之後，看到玫瑰的叛逆行徑干擾到家人和鄰居，讀者可以感受到貓老爺與貓夫人對於女兒的氣憤、無奈、擔心等複雜心情。後來，玫瑰決心離家追求自我，母親勸說無效，只得傷心地目送主角離開；由此畫面，樂齡者能深刻體會，貓夫人心中的百般不捨，以及其對孩子的深愛。

而繪本描述，玫瑰堅持做自己，終事業有成，走出自己的路；此會令樂齡者佩服牠的勇敢與堅韌。最後，玫瑰帶著孩子回到老家團聚，並得到雙親真心的接納；由此，親子關係終得到修復；看到主角與父母和好，以及祖孫和樂融融相處等畫面，讀者會感到溫馨，心情也跟著愉悅起來。

領悟

閱讀完本故事後，樂齡者能藉此思考自己與子女之間的關係；尤其，個人可如何調適心態，尊重孩子與生俱來的獨特性，接納彼等不順從父母意思行事的作為。另外，讀者亦會反思，應避免將自己的想法一廂情願地加諸兒女身上；且不需為已成年、有能力獨立的子女過度擔心，而可嘗試放手，讓對方追求個人的夢想與生活方式；同時，也應與子女好好溝通，互相了解彼此的真實想法，讓對方明瞭父母的牽掛與擔憂。

再者，樂齡者也會由本書體悟到，自己可多接觸新事物，藉此開闊心胸和視野；如此，當能在與兒女或後輩相處時，減少因世代差異而衍生的衝突，並避免箝制兒女的適性發展與成長空間。另外，由紅貓玫瑰身上，讀者可以學習到，儘管自身的興趣、價值觀、人生目標，不符合家人的期待或社會的主流，但仍可找出個人的優勢所在，並努力耕耘；最終，當能像主角一樣，開創屬於自己的人生。

D02 讀者情緒困擾問題類型：
面對兒女成長即將離家的不捨情緒

書名／不要放手喔！（Don't Let Go!）

作者／文：珍妮‧威利斯（Jeanne Willis）

圖：湯尼‧羅斯（Tony Ross）

譯者／林芳萍

出版社／臺北縣：上人文化

出版年／2005

ISBN／9789867517593

◆ 內容簡介

　　小女孩蘇菲請爸爸教自己騎腳踏車。在學習的過程中，蘇菲十分害怕會跌倒。於是，爸爸為蘇菲準備護具，並答應會一直扶著腳踏車，在她準備好之前，皆不會放開手。

　　在爸爸的陪伴下，蘇菲練習了一段路程，並有信心獨力騎腳踏車，於是請爸爸放開手，騎到較遠的地方。而爸爸在放手後想到，當女兒成長後離開自己時，必定會非常不捨，因而感觸落淚。

　　最終，蘇菲回到爸爸身邊，給予他一個大大的擁抱，並答應爸爸，在他準備好後，方才會離開。自此，父女間的親情更加緊密與升溫。

◆ 情節舉例

「我到今天才知道，學會放手真不是件容易的事。其實我也很害怕——怕你現在一離開，就再也不會回到我的身邊來。」

　　故事中的爸爸看到細心呵護的女兒蘇菲，已有能力獨自騎腳踏車，於是想像女兒成長後離開自己的情形，不禁感傷落淚。看到此畫面，樂齡讀者會回憶起過去照顧孩子的點點滴滴，以及子女成長後離開自己的景象，同時，能深切體味故事中爸爸複雜矛盾的心緒，並覺得感同身受。

◆ 情緒療癒效用

認同

閱讀此書中父女的故事，樂齡者會想起自己和家人相處的生活情境，並回憶起離別與放手的時刻，例如自己成長後離開父母，以及為人父母後，面對子女出國、結婚等原因，而離開自己身邊等。尤其，小女孩蘇菲一開始請爸爸不要放手，後來說「可以放手了」，接著再說「現在，放手！」，樂齡讀者會由她的話語與相關畫面聯想到，在兒女成長過程中，亦有漸漸不再依賴父母的轉變；因此，對於故事中父親的心緒，能有深刻的體會和同理。

另外，小女孩蘇菲學習騎腳踏車的故事情節，道盡了樂齡者自年幼至成年時的心境轉變；由一開始害怕遭遇挫折與痛苦，到有了人生的歷練後，終能獨當一面。由此，讀者會想起自己一路走來的境遇，以及所懷有的種種心緒，並產生認同感。

淨化

在蘇菲學習騎腳踏車時，爸爸除了鼓勵她勇敢面對挑戰外，也準備好護具，以免女兒跌倒受傷；由此，讀者可以看到父親給予女兒的百般呵護，以及他滿心期待孩子成長，並變得更堅強的心境，令人覺得很窩心。另外，書中的爸爸從答應不會放開攙扶腳踏車的手，到被女兒要求放手，加上蘇菲獨自騎腳踏車，並對爸爸說「再見！」；樂齡讀者能從此等情節，體察到為人父母者心中的矛盾與不捨；同時，由爸爸感觸落淚的畫面，讀者也能深刻體會到他心中的難過與失落感，令人跟著心情沉重起來。

最後，故事敘述，蘇菲回到爸爸身邊，作出不會輕易離開的承諾；由兩人相擁的畫面，讀者心中會一同感受到被愛的溫暖；同時，透過父女溫柔的對話，呈現出親子之間的愛與信任，加上蘇菲和爸爸皆能敞開心房，表白內心真正的感受，亦令讀者相當感動且羨慕不已。

領悟

　　閱讀此故事，可讓樂齡者體悟到，兒女成長後離開原生家庭獨立生活，或是另組新家庭，乃是每個為人父母者必需面對的。因此，個人應調適心情，不必過度擔憂。其次，樂齡讀者亦會自故事中學習到，當子女面對其個人的人生挑戰時，應放手讓他們嘗試，從而得以成長；同時，可給予支持和協助，並傳承經驗和智慧，以協助子女度過困頓時刻。

　　再者，繪本中的爸爸告訴女兒蘇菲，「到處都有高低起伏的斜坡。前面的路上永遠都會充滿各種難關和挑戰…」，但在克服困難後，定能「自由自在，隨心所欲，對自己充滿信心」；從此話語，讀者可領悟到，人的一生中，遭遇挫折與困境總是在所難免，但吾人應鼓起勇氣邁步向前，且相信自己能夠克服；最終，定能有所學習與成長，並成為更堅韌的個體。

書名／木偶的家（House of Wooden Dolls）
作者／文：李美愛（Lee Mi-Ae）
　　　圖：李英玉（Lee Young-Ok）
譯者／李花敏
出版社／新北市：漢湘文化
出版年／2012（再版）
ISBN／9789866880551

◆ 內容簡介

　　某天，木偶夫婦發現家門外，出現了一顆鳥蛋。兩人決定將之帶進家裡照顧，並滿心期望小鳥孵化出來。

　　小鳥出生後，打亂了木偶夫婦原本平靜的生活，不過兩人皆毫無怨言。其後，小鳥漸漸成長，但因木偶家中狹小，未能自由飛翔，而變得不快樂。木偶夫婦遂決定打開窗戶，讓牠離開；對此，兩人皆感到十分不捨與失落。

　　後來，一隻小熊前來木偶夫婦的家尋求協助，兩人招待小熊後，發現因小鳥離去而衍生的失落感得到平撫；從此，木偶夫婦決定敞開家門，迎接每位來訪的客人。

◆ 情節舉例

「結果……家裡的書被小鳥撕破了，茶被小鳥弄灑了……地上到處都是小鳥弄倒的東西……整個屋子亂七八糟。木偶的家再也不像以前那樣安寧、乾淨了。但木偶先生和木偶太太沒有埋怨，就是不斷的打掃，因為他們想讓小鳥有個舒適的家。」

　　畫面中，木偶夫婦一同整理著凌亂的家居，小鳥則在一旁繼續探索。木偶夫婦不慍不火地接受小鳥帶來的一切麻煩與額外工作，充分表現出為人父母對孩子的愛與包容。此畫面亦讓樂齡讀者回憶起，兒女年幼時淘氣搗蛋的情景，因而心生共鳴。

◆ **情緒療癒效用**

認同

此故事敘述，木偶夫婦兩人的生活，原本十分平淡安逸，而在養育小鳥後，有了許多之前未有的麻煩，但也得以享受許多樂趣；尤其，小鳥在家搗亂，木偶夫婦在背後收拾的畫面，會讓樂齡讀者想到，自身養育子女或飼養寵物時，也有相似的體會，因而引發共鳴。另外，在小鳥成長後，因未能自由飛翔而感到不快樂，於是木偶夫婦決定讓牠離開；此情節亦勾起樂齡者面對子女成長離家時，雖然不捨但仍需放手的回憶。而在小鳥離去後，木偶夫婦坐在家中，回憶著過往與小鳥一同生活的點點滴滴，亦讓兒女離家後感到不適應的樂齡者覺得，自己的處境與木偶夫婦相似，因而對故事內容產生強烈的認同感。

淨化

在撫養小鳥的過程中，木偶夫婦經歷了對鳥蛋孵化的期待和喜悅、照顧小鳥的緊張與掛心；到後來，他們一方面因小鳥健康成長，能展翅高飛而開心，一方面亦因和小鳥分離，而感到落寞、傷心與不捨；看到此等故事情節的發展，樂齡讀者會和木偶夫婦一同經歷情緒上的起伏。後來，兩人聽見敲門聲，滿心希望是小鳥歸來，但終期望落空；此情節亦令讀者感到失望與唏噓不已。而木偶夫婦幫助小熊，其後更決定敞開家門，招待所有來訪者；看到兩人能以實際行動，將對小鳥的愛化為對他人的大愛，因而放下了心中對小鳥的念掛，樂齡者不禁會為他們感到高興和佩服。

領悟

由此繪本故事，樂齡讀者可領悟到，當兒女成長後，因升學、就業、結婚等因素而搬離原生家庭，開創屬於自己的生活，是必然之事；因此，個人在平時即應作好心理準備，把握機會與子女好好

溝通，增進彼此的理解；一旦他們作出決定要離家自立，則應給予支持與祝福。此外，在面臨兒女離家後的空巢期，樂齡者亦應調整生活重心，尋找不同的寄託，以讓自己好好過日子，並避免讓親友掛心。另外，吾人毋需因子女離家之事感到過於失落，而是可學習木偶夫婦，透過照顧其他需要協助者，給予他人愛與關懷，藉以讓自己的心靈豐富且滿足，並重拾快樂。

D04　讀者情緒困擾問題類型：
面對兒女成長自立後，一人獨居的空虛感

書名／艾瑪畫畫（Emma）
作者／文：溫蒂・凱瑟曼（Wendy Kesselman）
　　　圖：芭芭拉・庫尼（Barbara Cooney）
譯者／柯倩華
出版社／臺北市：三之三文化
出版年／2000
ISBN／9789578872813

◆ 內容簡介

72歲的主角艾瑪，雖然兒孫眾多，但皆住在他處，每逢節慶才會回到艾瑪家團聚。平日裡，主角只有寵物貓咪相伴；如此獨居的生活令她感到孤單、空虛與無聊。

後來，艾瑪生日時，家人贈送她一幅故鄉的畫作，但主角覺得該畫未能呈現故鄉的樣貌。於是，在家人離開後，艾瑪嘗試自行創作；除了畫出心目中的故鄉外，亦描繪身邊的人與物，藉此打發時間，並紓解孤獨的情緒。

在某次家族聚會中，艾瑪的作品意外地被家人發現，並獲得大家的讚賞。自此，主角以繪畫為生活的重心與寄託，更開辦畫展，因而結交了許多朋友。由此，艾瑪感到生活十分充實、愉快。

◆ 情節舉例

「艾瑪坐在窗邊，照她記得的樣子畫她的小村莊。她的畫完成了。她取下孩子們送的畫，掛上自己的這一幅。她每天看著她的畫，露出了笑容。」

艾瑪正在專注地繪畫，讀者可從她臉上的微笑，感受到主角的心情愉悅；而寵物貓咪則坐在旁邊，歪著頭看主人。此畫面清新可愛，讓讀者跟著感到放鬆下來。

◆ 情緒療癒效用

認同

故事描述，主角艾瑪雖兒孫成群，但多不在身邊，故其平日一人獨居；此讓有類似境遇的樂齡者感到強烈的共鳴。而艾瑪經常懷念故鄉的情景，也會讓讀者想到，自己年長了以後，也會不由地懷想過去的人事物。另外，艾瑪對於兒孫贈送的故鄉畫作，心中雖不喜歡，但並未表現出來；此如同許多樂齡者對待他人，尤其是晚輩的心態般，常因為顧及對方的感受，便壓抑個人內心真正的想法。再者，艾瑪一開始畫畫時，不敢與家人分享自己的作品，此亦像一些樂齡者，因缺乏自信，便不好意思向親友展現個人的才能。上述種種，皆讓讀者覺得主角的想法和行為，與自身或身邊的一些樂齡者極其相似。

淨化

故事一開始敘述，在兒孫來訪時，艾瑪十分高興；但在家人離開後，便感覺空虛不已；由此，讀者會感受到，她相當懷念昔日的家庭生活；尤其，主角坐在窗邊，與貓咪一起看雪的畫面，更凸顯出她當下生活單調、心中孤獨失落的景況。另外，艾瑪雖然開始畫畫，卻只是獨自欣賞，不讓兒孫知道；由此情節，樂齡者會感覺到她心中的彆扭。而當艾瑪的作品獲得家人讚賞後，她開始展露開朗的笑靨，看到此畫面，使人不禁一同開心起來。

之後，艾瑪不斷作畫，她的神情顯現出其充滿自信，且十分享受畫畫的時光；同時，也因找到了獨居生活的寄託，而覺得非常充實、滿足與快樂；由此故事情節的發展，讀者會為主角找到生活的重心與目標而感到慶幸，個人心情也跟著變好，甚至會羨慕艾瑪，能將興趣發揮得淋漓盡致。另外，全書圖畫色彩豐富柔和，畫風簡潔，且處處呈現出溫馨感，讓人閱讀後感到愉快起來。

領悟

　　主角艾瑪雖然年紀大了，但她能將個人的念頭赴諸實行，甚至因而有一番成就；樂齡者閱讀後會受到鼓舞，覺得可以學習艾瑪的精神，勇於實踐想做的事，且適當地規劃退休生活。此外，樂齡者亦會體悟到，不必期待兒女、家人滿足自己，而應自行找到排解寂寞的方式；同時，也可透過多方嘗試，來發掘個人的潛能和興趣，以充實生活，並提升自我價值。

　　再者，由艾瑪不喜歡兒孫贈送的畫作，但並未直接表明的情節中，吾人能反思，這種壓抑真實想法而不直接溝通的互動模式，長久下來，可能會對彼此關係產生負面影響。因此，平日即應勇於表達真實的自我，使「真實我」與「社會我」能趨於一致，如此，讓他人能更容易了解自己，方能營造良好的人際關係。另外，從艾瑪藏起畫作的情節，讀者會領悟到，個人不必像主角般，隱藏自己的創作成果，而是可以透過 Line、臉書等軟體，與不在身邊的親人、朋友分享日常的趣事，藉以維繫彼此間的情誼；甚至能透過網路社團，結識志同道合的新朋友，讓自己的生活更加多元豐富。

書名／奶奶的記憶森林
作者／文・圖：崔永嬿
出版社／臺北市：天下雜誌
出版年／2014
ISBN：9789862419670

◆ 內容簡介

主角小兔子毛奇妮一家與奶奶同住，祖孫之間的關係十分親密。然而，自從奶奶罹患失智症後，其對日常生活中的人事物感到混淆，也漸漸忘記了許多朋友甚至親人。

隨著時間過去，奶奶的狀況愈加嚴重。對此，毛奇妮深怕奶奶會忘記自己，於是不斷幫助對方記憶日常生活中的大小事，亦每天帶奶奶到森林中散步。然而，即使經過一番努力，奶奶仍認不得毛奇妮，讓主角感到相當心疼、難過和生氣。

也因此，主角獨自躲在森林裡哭泣，發洩積壓的負面情緒；但返家時，卻發現奶奶也因找不到毛奇妮而傷心落淚。經過媽媽的說明，主角終明白，失智的疾病使得奶奶想不起所愛的親人；但其內心深處，仍記得毛奇妮。由此，主角心中的失落感亦得到舒緩。

◆ 情節舉例

「偶爾，奶奶會想起一些事，這時候她會很傷心、很生氣，覺得自己變成一個沒有用的老奶奶。當奶奶傷心的時候，毛奇妮也會跟著傷心。」

小兔子毛奇妮的身型佔據了繪本的整個頁面，其哀傷的臉龐上，落下斗大的淚珠；而牠懷中抱著體型小一號的奶奶，也正在傷心落淚。此畫面呈現出奶奶因失智而變得脆弱，需要他人照顧的情形，同時，

家庭關係──與父母、配偶、兒女、同住親友之間的互動與摩擦

亦表達出奶奶與毛奇妮皆對失智一事，感到相當難受，讓讀者也不禁為牠們感到鼻酸不已。

◆ 情緒療癒效用

認同

本書對失智症患者平常的行為舉止與病程的發展，皆有細膩的刻畫。而主角毛奇妮的奶奶，由初期混淆日常生活之事，到中後期漸漸忘記身邊的親人等描繪；會讓樂齡者想起與失智親友互動時的點點滴滴，並產生共鳴感。而主角嘗試不同方式，希望能留住奶奶記憶的情節，會讓有類似遭遇的讀者，想起個人也曾經試圖喚起失智親友記憶的情景；因此，對主角的處境、行動，及其所思所想，皆會產生認同感。同時，繪本敘述，毛奇妮為奶奶的病情感到相當沮喪難過，讀者也會連結到，面對所愛的親友身體機能衰退或罹病時，自己也如同主角般，因無法阻止對方健康走下坡，而充滿無力感等挫折經驗。

淨化

主角毛奇妮與奶奶的關係十分緊密，其對奶奶存有許多敬愛之情；因此，在奶奶因患上失智症，而逐漸喪失生活技能，甚至忘記親人的過程中，毛奇妮經歷了疑惑、傷心、生氣、害怕等心情。在繪本的圖畫中多處可見，主角因無力改變奶奶失智的情況，而露出擔憂、難過的神情，讓樂齡讀者感到心疼與不捨。此外，奶奶因罹患失智而自我價值感低落，更不時傷心落淚，亦令人為之心酸不已。

後來，毛奇妮一度因不了解奶奶的病情，而負面情緒爆發；但其在透過母親的安撫與說明後，了解到失智症患者可能出現的症狀，終接受了奶奶罹病的事實。此故事結局，讓讀者的心情跟著感到舒坦，並為主角能夠釋懷感到高興。

領悟

閱讀完此書後，樂齡者可以從中深刻地體會到，失智症對患者及整個家庭的影響。一般說來，初期的患者會如同故事中的奶奶一樣，不時因為自己的身心功能下降，致使日常生活的能力受限，而導致自我價值感和情緒低落；至於中後期的患者，則會無法一直記得最親近的家人。因此，吾人應了解失智症患者的身心狀態，並理解有些失智的症狀是無法逆轉的。

而若讀者因親友罹患失智症或長期疾病而感到煩憂，則可以學習主角一家人的作法。首先，吾人應對疾病本身及其對患者的影響，有更深入的瞭解；如此，方能找出日常相處的適當模式；同時，得以調適個人心中的負面情緒。尤其，當患者出現如書中失智奶奶憂鬱、焦慮、記不得家人的狀況，以及其他長期病患可能有易怒、無法自我克制等情形時，照顧者實可與罹病的當事者，以及其他家庭成員積極溝通，互相了解彼此的需要，從而能更好地發揮家庭照顧的功能。如此，方能像故事中的兔子家庭般，重新尋回天倫之樂。

D06

讀者情緒困擾問題類型：
因兒女成長自立後獨居而衍生孤單落寞感

書名／幸福的大桌子（おおきなテーブル）

作者／文：森山 京

　　　　圖：広瀬 弦

譯者／周慧珠

出版社／臺北市：小魯文化

出版年／2003

ISBN／9789867742292

◆ 內容簡介

主角兔奶奶在家中的大桌子獨自用餐，並懷念著過去與丈夫及六個孩子，一家八口一起生活的景象。

兔奶奶回想起，丈夫年輕時親手打造此張大桌子；而孩子們由出生至長大的日子裡，一家人常常圍繞著大桌子，一起吃飯、聊天、遊戲。但隨著時間過去，孩子們成長後，皆離家各自發展；後來，丈夫亦過世了。對此，兔奶奶感到十分空虛與寂寞。

在回憶的過程中，兔奶奶想起孩子們年幼時，經常在大桌子底下塗鴉，但昔日忙於家務而不曾親自看過，便鑽到桌子底下回味一番。此時，小兒子回來探視，並提議在兔奶奶生日時，聚集所有手足回家團聚。由此，主角得以重溫和孩子們相聚的時光，並感到十分幸福與滿足。

◆ 情節舉例

「『孩子們都回來聚在一起……如果能這樣，那我真是太高興了。』兔奶奶環視著大桌子，微笑了起來。『到時候，桌上一定要擺滿每個孩子喜歡的食物。』」

畫面中，獨居的兔奶奶想到孩子們即將回家團聚，因而露出笑容，讀者會感染到主角心中的興奮之情；同時，此情節能讓一些樂齡者想到，自己亦如同兔奶奶般，非常期盼已成家自立的兒女回來相聚，以及會為返家的兒女精心準備餐點等之情景。

◆ 情緒療癒效用

認同

繪本描述，原本的八口之家，由於丈夫離世、兒女各自成家立業，並搬離原生家庭，致使兔奶奶獨自一人生活。作者透過一張歷經歲月、伴隨六個孩子成長的大桌子，敘述兔子家庭的發展與變化，同時傳遞出兔奶奶因獨居而感到孤單落寞的景況。閱讀此書的樂齡者，或多或少也經歷過故事中所述，個人成家立業離開父母，或兒女成長離家等經驗。

另外，書中提到，兔奶奶的六個孩子，皆偶爾各自回家探望，但不曾相約團聚；讀者也會因而想到，在現實生活中，所有家族成員一起相聚並不容易；且有時候，個人希望子女能回來陪伴自己，也未必能如願，由此，閱讀此書時，樂齡者會對主角的心緒感到深深的共鳴。

淨化

主角兔奶奶坐在大桌子旁邊，思想著以往一家八口相處互動的回憶，由書中所呈現昔日兔子家庭的生活畫面，對比著當下主角獨自一人的景像，讀者不禁會感染到牠孤寂和失落的心情。之後，兔奶奶在桌底下觀看兒女的塗鴉作品時，小兒子突然回家，母子間互動的情景，令人覺得十分逗趣；同時，也會與主角一同感到驚喜。

而兔奶奶聽到所有孩子要一起回家相聚後，露出微笑的模樣，讀者亦會感受到，主角心中充滿期待。故事結尾，呈現出兔奶奶和子女們再次圍在大桌子旁，牠抱著孫子，神情愉悅滿足，讓樂齡讀者打從心底替角色們高興，由此，個人原先落寞的負面情緒亦隨之得到舒緩。

領悟

在此繪本中，兔奶奶的孩子們長大後，全都離家自行發展；閱讀本故事，樂齡者會體悟到，子女成長後離開父母自立，幾乎是必然之事；因此，當時刻到來，個人便應好好調整心態，以適應生活上的轉變；再者，過往與孩子相處的種種美好記憶，將會永遠伴隨著自己，因此，不需過於失落。

另外，樂齡者亦會領悟到，父母對子女的關愛與想念，是無時無刻的；是故，除了自己得空便陪伴高齡父母之外，也可以像故事中的兔子家庭般，邀約兄弟姊妹一起共聚，重溫年少時和父母手足朝夕相處的時光。藉由回憶與分享過去的共同記憶，以及談論對個人有特別意義的人事物，此等「懷舊療法」的運用，可讓樂齡者避免負面情緒積累，並肯定生命的意義；最終，能讓大家都感到開心、並衍生幸福感。

書名／南瓜湯（Pumpkin Soup）

作者／文·圖：海倫·庫柏
（Helen Cooper）

譯者／柯倩華

出版社／新竹市：和英

出版年／2004（二版）

ISBN／9789867942449

◆ 內容簡介

　　貓、松鼠及鴨子一起生活，每天晚上，牠們都分工合作，烹調美味的南瓜湯。某天，年紀最小的鴨子希望能嘗試松鼠攪湯的工作，但松鼠和貓皆不同意，三隻動物因而起了激烈的爭執。

　　之後，鴨子便負氣離家，直到晚上仍未回來。少了鴨子幫忙調味，貓和松鼠兩人煮出來的南瓜湯不復以往；加上兩人擔心鴨子遭遇危險，於是外出尋找，但未能找到。

　　當貓和松鼠垂頭喪氣地返家時，發現鴨子已經先一步回去了。三隻動物見面後相當高興，卻也飢腸轆轆，於是再一起合作烹飪，並允許大家有不同的分工。經過此番嘗試後，三隻動物皆體會到，雖然過程改變了，但合作煮出的南瓜湯，仍然是最美味的。

◆ 情節舉例

「可是鴨子把湯匙抱得緊緊的……直到松鼠使出全部的力氣拼命拉……忽然，哎呀！湯匙飛到半空中轉啊轉，打中貓的頭。然後，麻煩大了，這間古老的小白屋裡充滿激烈的爭執、吼叫、吵鬧，和混亂。」

　　左頁畫面中，作者以多張連續的圖畫，繪畫出鴨子與松鼠爭奪湯匙，並牽連到貓的過程；右頁畫面中，則描繪了三位主角臉上皆

掛著憤怒的神情，並吐出亂碼般的言詞，呈現了爭執當下的混亂情狀。由此，樂齡讀者會聯想到，即使是親密、同住的親友，有時也會因為小事而發生衝突與摩擦，故對三位主角的情況感到心有戚戚焉。

◆ 情緒療癒效用

認同

貓、松鼠、鴨子三人雖然每天皆合作烹煮南瓜湯，但仍會為分工之事爆發激烈的爭吵，樂齡者閱讀後，會覺得此猶如自己和同住的子女、親友，亦會因日常的小事發生衝突一般。例如，一些家務工作，常會基於各人處理方式的差異，導致彼此看不順眼，故在閱讀時，讀者會對相關角色的經歷感同身受；並覺得本書的故事，彷彿是現實生活的縮影。

另外，故事描述，三位主角和好後，鴨子終獲允許攪拌南瓜湯；而結果則如同貓所料，鴨子未能勝任此工作，但貓和松鼠決定容忍牠以不純熟的手法為之；此情節會讓樂齡者覺得，如同自己根據經驗與智慧，為家人、兒女提供實用的建議，但對方不願聽從；而為了顧全對方面子，並維護彼此的關係，自己亦會選擇閉口不言。準此，樂齡者會覺得這個故事跟自己和子女、親友相處時的情境，可謂如出一轍。

淨化

故事中，鴨子一時興起，希望嘗試攪拌南瓜湯的工作，但松鼠和貓皆拒絕牠的請求。畫面中，三位主角為了此事激烈地爭執，屋子裡充斥著劍拔弩張的氣氛，由此，樂齡讀者能強烈地感受到動物們不愉快的心情；同時，也不禁為牠們擔憂起來。鴨子負氣離家後，貓和松鼠非常擔心，更責怪自己，而並未對鴨子的行為感到憤怒。看到此故事情節，樂齡者會十分欣賞貓和松鼠能自我反省，且亦覺

得兩人對鴨子真摯深厚的友誼很可貴。後來，見到鴨子平安返回家中，三位主角高興地互相擁抱，亦令人感染到牠們的喜悅，讓讀者原本壓抑的心情也隨之放鬆。最終，看到三人恢復往常平靜和樂的生活，樂齡者會不禁替牠們感到開心。

領悟

閱讀完本故事後，樂齡者會領悟到，親友間因意見不同而發生衝突的情況在所難免；此時，吾人不妨學習貓和松鼠，在爭執過後，便適時反省自己的態度與行為，且亦需將關係的維持與修復視為應處理的問題之一。尤其，在對待晚輩時，更需要抱持同理心，體諒彼等的人生歷練較少，以致在思考或行事上，可能不夠周延與圓融；因此，若後輩的意見和自己相左，也應給予對方嘗試與發揮的機會。

另外，故事一開始時，貓和松鼠強勢地拒絕鴨子希望嘗試攪湯的請求，而未顧慮到對方被拒絕後不舒服的心理感受；如此，間接讓鴨子更不願意聽從兩人的勸阻，甚至負氣離家。樂齡者可以由此領悟到，當要說服他人時，要懂得運用人際溝通技巧，以委婉堅定的語氣表達不同的想法；同時，也要讓對方感受到被尊重之意。如此，方能讓彼此理性地看待意見歧異之處，且不傷和氣地有效溝通，從而達到雙贏的局面。

書名／陽光之家（Sunshine Home）

作者／文：伊芙·邦婷（Eve Bunting）

圖：黛安·狄葛羅特（Diane De Groat）

譯者／劉清彥

出版社／新竹市：和英

出版年／2003

ISBN／9789867942357

◆ 內容簡介

小男孩提姆的外婆意外跌倒，導致其行動不便，於是住進一所名為「陽光之家」的老人養護中心。某日，父母帶同提姆至陽光之家探望外婆。

其間，外婆與提姆的父母交流近況，雙方皆不時提及陽光之家的好處，也刻意展露出愉快的心情，希望能讓彼此感到安心。在探訪結束後，提姆的母親便因心中不捨，而難過地哭泣起來。

此時，小男孩父母發現有一件物品尚未送給外婆，便交咐提姆折返；而他卻看到外婆也在傷心哭泣。於是，提姆的父母亦回到陽光之家，和外婆當面坦白說出真實的心聲；由此，大家皆感受到親人間的關愛之情；同時，小男孩父母亦允諾安排外婆搬回家中同住。

◆ 情節舉例

「我們一走出大門，媽媽就大哭起來，爸爸摟著她，我們停下腳步。『媽，不要哭，』我說，『這個地方很棒，很乾淨，外婆看起來也很快樂。』」

此故事情節描述，提姆一家走出陽光之家後，媽媽即忍不住傷心落淚，讀者能感受到，她終宣洩出在外婆面前壓抑的負面情緒。同時，畫面中，提姆拉著媽媽的外套，爸爸則擁抱著媽媽，以給予安慰；閱讀至此，令人一方面為之嘆息，一方面也心生一股溫馨之意。

◆ 情緒療癒效用

認同

小男孩的外婆跌倒後行動不便，需要長期照護，而入住養護機構「陽光之家」。此故事背景，會讓有相似經驗的讀者，如面臨親友罹患疾病、遭逢意外等緣故而住院，或需接受長期照護等情況者，感到心有戚戚焉，並將個人的經驗，與書中角色產生投射與重疊；同時，亦會覺得本書對養護機構的環境、氛圍，以及住民心緒的描寫，相當貼近現實。

此外，繪本亦準確地刻畫出，有親人無預警地病倒後，家人與患者雙方的心境、以及實際上需面對的問題等，頗能讓有相似遭遇者覺得，自己的心理感受和壓力獲得他人的瞭解與同理。再者，故事描述提姆的母親與外婆，皆因為不希望對方操心，而壓抑自己內心的真實感受；同時，對於需在養護機構居住多久、當事者病情等敏感議題避而不談等情節，也讓曾面臨類似情形的讀者感到深深的共鳴。

淨化

此繪本的開頭描繪，小男孩提姆想到將要接觸受傷後的外婆，便感到不安與害怕，閱讀至此，讀者的情緒會與小男孩一起低宕下來，並替此家庭面臨到的境況感到擔心。另外，書中的角色們，一直壓抑不談外婆受傷後的情況，並隱藏難過與不捨的心情。看到他們憂傷、彆扭的模樣，令讀者一同感到十分煎熬。

最後，繪本描述，主角一家人因著小男孩折返陽光之家的機緣再次聚首，更對彼此表白心中的牽掛；看到書中的角色們終能敞開心房，坦然面對問題，臉上顯露出釋然的表情，讓讀者壓抑的悲傷感亦隨之獲得舒緩；同時，也會湧起一股暖意，並為此圓滿的結局感到欣慰。

領悟

個人、親友遭遇意外，或因疾病住院時，當事者常會為了避免他人牽掛，便如同提姆的外婆與母親般故作堅強；而閱讀此繪本後，讀者可以了解到，在所愛的家人面前，或許開口不易，但若能運用同理心，設想彼此可能的心理感受，並坦誠溝通，則應能更好地解決所需面對的問題。

藉著本故事，讀者亦可以明瞭，因故必須接受長期照護，或搬遷至養護機構的樂齡者，常會像故事中的外婆一樣，心中充斥著負面情緒；是故，吾人可以多給予當事者心理上的支持，以讓對方能勇敢地面對身體上的病痛和生活上的變化。此外，若自身為需要遷住養護機構者，則亦應調整個人的心態，坦然接受遷住新環境的種種轉變，從而得以及早適應新生活。

D09 讀者情緒困擾問題類型：思念已成長自立的兒女

書名／獅子與鳥（Le lion et l'oiseau）
作者／文‧圖：瑪麗安杜布（Marianne Dubuc）
譯者／賴羽青
出版社／臺北市：格林文化
出版年／2016
ISBN／9789861896533

◆ 內容簡介

深秋時，獨居的主角獅子發現一隻小鳥，其因翅膀受傷，無法與鳥群一起離開避冬；於是，主角將之救治，並帶回家中照顧。

整個冬季，獅子為小鳥安排生活所需，以免對方受寒。春天到來時，小鳥傷癒，能再次飛翔，便回到鳥類同伴身邊。對此，獅子感到十分寂寞；但經過一段時間的調適後，亦重新習慣獨居的生活。

入冬時，獅子憶起去年深秋與小鳥相遇之事，並想著對方也許已跟隨同伴去避冬。然而，小鳥並未離開，而是選擇留在主角身邊同度冬季，讓獅子覺得很溫暖與喜悅。

◆ 情節舉例

「只要我們在一起，冬天就不再寒冷。」

隔年冬季，小鳥並未跟隨同伴離開，而是回到主角獅子身邊；畫面中，牠坐在獅子頭上，如同故事一開始，牠獲得獅子救治時一樣。由此情節，讀者會為獅子與小鳥的再相聚感到欣喜不已。

◆ **情緒療癒效用**

認同

主角獅子悉心照顧受傷小鳥的故事情節，會讓樂齡者聯想起自己細心呵護子女的情景。而小鳥傷癒後，獅子放手讓小鳥回歸到同伴身邊，如同為人父母者讓兒女離開，發展自己的人生般。至於已離開的小鳥，在冬季回到主角身邊相聚的結局，會讓一些樂齡者覺得，此如同在外地求學或工作的兒女，與自己聚少離多的情況；同時，也覺得個人一方面能夠調適兒女不在身邊時的心情，另一方面，亦滿心期待兒女能時常回來陪伴等心緒，與獅子相當貼近；因此，主角的處境能引發讀者深深的認同感。

淨化

故事中，獅子救治受傷的小鳥後，兩人互相陪伴，此溫馨的畫面，令人感到窩心與溫暖。而當小鳥痊癒，要回到鳥類同伴身邊時，獅子雖然不捨，但願意放手，不強留小鳥；主角的明理之舉，令人十分佩服。在小鳥離開後，獅子一人在房子裡，牠看著餐桌上的空位、以及小鳥曾在其中休息的空盒子等畫面，凸顯出獅子心中的悲傷、孤獨、沮喪與落寞感，閱讀至此，讓讀者也不禁跟著感傷起來。

故事後來敘述，獅子藉由耕種農作物，打發小鳥不在身邊的寂寞時間。作者以植物成長的連續圖畫，來描繪季節的變化，看到幼苗成長，並開花結果，給讀者帶來希望的感覺；而且，獅子在收穫農作時，心中充滿成就感與快樂，加上時間的流逝，沖淡了和小鳥分離的失落感。由此，讀者會感染到主角的喜悅之情。本書結局描述，獅子看到小鳥回來自己身邊時十分開心；由兩人再次相伴過冬的情節，讀者心裡會湧起一股暖意，並為牠們感到格外高興；如此，個人原先起伏跌宕的情緒得以平靜下來。

領悟

由此繪本，可令樂齡讀者體會到，「天下無不散之宴席」，人生在世，總會面臨如子女成長後自立，或親友故舊離去等情事。透過書中所述獅子與小鳥間的離合境遇，讀者能體悟到，當面對與所愛分離之事時，毋需太過感傷，而應學著釋懷；同時，也可祝福對方，並期待未來的再相聚。

再者，看到書中的小鳥，雖然大多數時候與鳥類同伴一起生活，但在冬季時便回到獅子身邊；由此，樂齡者會體悟到，子女成家立業後，便如同書中小鳥一樣，因忙碌於生活與工作，而未能像往昔般一直陪伴自己；但血濃於水，孩子與父母之間的親情，一直都會存在，故應保持同理心與正面的態度，體諒孩子的情況。此外，吾人也應學習主角獅子，透過做自己喜歡的事，來排解對子女的思念與心中的寂寞感；如此，得以讓自己免於意志消沉，且能過得快樂。

D10　讀者情緒困擾問題類型：
面對兒女成長離家的失落與不捨之情

書名／跳舞（The Dance）
作者／文：理查・保羅・伊凡斯
　　　　（Richard Paul Evans）
　　　　圖：喬納森・林頓（Jonathan Linton）
譯者／余治瑩
出版社／臺北市：維京國際
出版年／2011（再版）
ISBN／9789867428509

◆ 內容簡介

　　女孩從小喜愛跳舞，在每個表演場合中，她的父親總是在台下微笑地欣賞，表現出對女兒充分的支持與關愛。

　　女孩成年結婚後，搬離了原生家庭。對此，父親感到相當不捨與寂寞，於是將思念寄託於舊相片。

　　父親臨終前，女孩返家探望，並在父親面前跳舞，以表達對他的愛；同時，她亦道出心中的惦掛，更認為失去父親後，跳舞的意義將隨之消失。而父親勉勵女兒，應一直堅持鍾愛的舞蹈。由此，女孩體悟到，不論何時何地，父親對自己的支持與關愛，將永遠延續下去。

◆ 情節舉例

「女孩和她的丈夫結婚後……搬到很遠的地方。每當爸爸想念女兒的時候，就拿出一個舊鞋盒，裡面裝滿女兒跳舞的照片。看著一張張的照片，就想起她跳的每一支舞。他又微笑了。」

　　女孩婚後離家，使父親相當感傷，於是他不時透過照片，抒發對女兒的思念之情。畫面中，呈現出父親從裝有舞鞋的盒子裡，拿出一疊女孩跳舞的相片，可見父親正享受著過往的美好回憶；由此，樂齡讀者會連結至自身睹物思人的經驗，並不禁和書中的父親一同心生感嘆。

◆ 情緒療癒效用

認同

　　繪本敘述一位父親陪伴女兒成長的故事，樂齡者閱讀完後，一方面會聯想到個人與父母相處的情景，以及他們對自己的關愛之情；另一方面，也會勾起自身與兒女相處時的點點滴滴。尤其，一些樂齡者在兒女因就學、工作、結婚等緣故離家後，便如故事中的父親般，不時透過照片和舊物品，回憶過去的生活，以此緩解思念之情；因此，本故事能引起不少共鳴。另外，書中的父親經常一語不發，僅是微笑看著女孩成長，讀者也會聯想到，一些人在成為父母後，與兒女日常的溝通和互動不多，且常壓抑自己的心聲，但其實內心一直默默地付出全然的愛與支持，與繪本中的角色如出一轍。

淨化

　　此繪本未曾描繪出父親的臉孔，但讀者能從文字的敘述以及女孩的表情，感受到父親的諸多情緒；例如，父親在看著女兒跳舞時，心中非常高興；而女孩結婚離家後，則感到十分不捨與失落；在閱讀時，樂齡者會跟著故事情節的發展，一同跟著衍生開心或悵然的情緒起伏。另外，故事描述，父親臨終時，女兒相伴在側，且願意遵從父親的期勉，繼續堅持熱愛的舞蹈；由此，讀者可以感受到父親心中已了無遺憾；而女孩意識到，即使父親不在身邊，但仍會無時無刻守護著自己，強化了她追逐理想的動力；看到如此深厚的父女親情，能使讀者的負面情緒得以昇華；也因此，讀者雖然為書中父女的永別而感傷，但也會覺得十分感動。同時，繪本圖畫優美，人物描畫寫實，閱讀時會令樂齡者覺得特別觸動心弦。

領悟

故事中的女孩，因著父親的支持和肯定，以致她能自小到大一直堅持個人喜愛的舞蹈；樂齡者會由此體悟到，父母的關愛與鼓勵，是兒女莫大的勇氣和力量來源。因此，對於已離家的成年子女，縱然無法經常見面溝通，但吾人可扮演他們的支持者和守護者之角色，給予所需要的協助，從而成為子女生命中的助力與推手。同時，與子女相聚時，也應敞開心房，彼此溝通內心的真實想法；藉此，除了能增進雙方的理解外，也有助於親情的維繫。另外，樂齡者亦可由本故事結局體悟到，父母終究有離去的一天；是故，應把握時間承歡膝下；如此，當可讓自己減少遺憾與牽掛。

D11 讀者情緒困擾問題類型：因不知如何與失智親人互動而感到擔憂與困擾

書名／親愛的獅子爺爺（Lovely Old Lion）

作者／文：茱莉亞·賈曼（Julia Jarman）

圖：蘇珊·巴蕾（Susan Varley）

譯者／黃筱茵

出版社／新北市：小熊

出版年／2016

ISBN／9789865863975

◆ 內容簡介

主角小獅子藍尼的爺爺獅子國王罹患了失智症，導致性情大大改變，更會忘記重要的事，並逐漸喪失日常生活的基本技能。對此，藍尼感到十分擔憂與難過。

獅子國王的老朋友們得知此情況後，便輪流前來探望與陪伴，更帶來舊物和老照片，一起暢談年輕時的美好時光，讓獅子國王快樂起來。然而，隨著時間過去，牠心智退化的狀況並未改善。

一段日子後，長大的藍尼成為了國王。牠一如爺爺當年的仁慈、聰敏，也不時想起昔日和爺爺相處的種種溫馨回憶。同時，藍尼經常勸勉王國裡的小動物們，要善待爺爺奶奶，並且要協助牠們保住心中的美好記憶。

◆ 情節舉例

「獅子國王變得越來越糊塗，他甚至連白天和黑夜都分不清楚。太陽還高掛天空，他就對藍尼說：『嗯……小子，晚安。』然後鑽進被窩睡覺。」

畫面裡，趴在窗邊的小獅子藍尼，一臉憂愁地望著大白天躺在床上睡覺的爺爺。由此情景，著實能讓讀者體會到主角對爺爺的掛心。同時，也會讓有相似經驗的讀者，憶起個人與失智親友相處的種種，因而引發共鳴感。

◆ **情緒療癒效用**

認同

此繪本細膩且真實地描述失智症患者的言行，如忘記日常生活的大小事，但對年輕時的記憶卻十分清晰、不認得身邊的親友、丟棄重要物品、日夜顛倒或作息紊亂、情緒低落等；因此，有親人罹患失智症的讀者，會感到心有戚戚焉。

再者，動物們給獅子國王觀看舊物，並述說過往趣事；而小獅子藍尼則一直陪伴在爺爺身邊，讓其心情愉快；凡此情節，皆傳達出眾人希望幫助獅子爺爺減緩失智的負面影響之渴望，讀者能連結到，自身企盼親友從失智等疾病中恢復的心緒。

淨化

繪本故事中，獅子爺爺患上失智症，導致其漸漸失去日常生活的能力。由祖孫之間的互動，讀者能感受到小獅子藍尼因為不知如何幫助爺爺，心中十分擔憂與無助。此外，看到獅子國王做出反常的行為時遭他人取笑，而導致心情十分沮喪的情節，樂齡者亦會為之感到難過。後來，獅子爺爺與老朋友們一起重溫往事時，心情變得快樂，此亦讓人跟著開心起來。看到獅子爺爺有家人、朋友的陪伴與關懷，會使樂齡讀者衍生溫馨感。之後，獅子爺爺將自己的皇冠戴到小獅子藍尼頭上的畫面，呈現出生命傳承的意象，讓人感動不已。

本書的結局並未描繪獅子爺爺的最終情況，而是直接呈現出藍尼長大後當上國王的情景；由此，讀者雖會為獅子爺爺無法從失智的狀況中恢復而感到遺憾，但看到如此的情節發展，亦會讓人稍感釋懷。作者透過祥和的圖畫、溫柔的筆法，婉轉地描繪出老年人失智、身心衰退等議題；因親友罹病而難過的讀者，能在閱讀後獲得撫慰，最終得到面對現實的勇氣與力量。

領悟

藉由閱讀此書，樂齡者能從中體悟到，老化、失智雖然無法逆轉，但吾人可參考書中所提的多元方式，來和失智的親友相處，減緩其負面影響。例如，學習小獅子藍尼，付出時間陪伴，讓他們心情愉快；再如藉由帶領患者與老朋友見面，觀看舊物等「懷舊療法」，讓彼等重溫年輕時的美好時光。由此，個人也可學著面對自己未來身心衰老時的種種變化。

再者，樂齡者可由此書領悟到，個人總有一天亦會面臨生理和心理上的衰老與退化；因此，在尚有能力之時，即應規劃好老年的生活，例如時間應如何運用、財產要如何傳承、工作該如何交付等。同時，亦應好好經營人際關係，珍惜平日裡、甚至年輕時結交的好友，如此方能像獅子爺爺一樣，除了家人之外，還經常有朋友相伴。

D12 讀者情緒困擾問題類型：
因與同住的親友摩擦不斷而感到不愉快

書名／～鱷魚和長頸鹿～搬過來、搬過去
（Das kleine Krokodil und die große Liebe）

作者／文‧圖：達妮拉‧庫洛特
（Daniela Kulot）

譯者／方素珍

出版社／臺北市：三之三文化

出版年／2007

ISBN／9789867295316

◆ 內容簡介

　　身材高大的長頸鹿，與個子矮小的鱷魚相遇，雖然體型差距懸殊，但兩人深愛著對方，於是開始交往。之後，兩位主角希望能一起生活，便嘗試一同住在鱷魚的家中。

　　然而，長頸鹿未能適應住在鱷魚家的生活，於是兩人遷至長頸鹿的家，但仍未能解決諸多生活上的不便與不適感；過程中，雖然牠們皆努力調適，不過都僅是權宜之計，此境況讓兩人感到相當難過。

　　經過一番思考後，鱷魚和長頸鹿共同設計出兩人皆適合居住的新房子；更同心協力，親手建築。新居的落成，從根本解決了兩位主角之前遇到的問題，讓牠們從此得以享受幸福的生活。

◆ 情節舉例

「第二天早上，太陽在天空閃耀著，鱷魚和長頸鹿來到花園裡，訂出一個偉大的計畫。」

　　畫面中，鱷魚和長頸鹿並肩趴在草地上，一起繪畫新居的設計草圖，臉上皆帶著微笑。兩位主角為了不讓自己和對方受到委屈，便合力解決居住的問題；看到此情節，樂齡者會羨慕牠們之間的關係良好。

◆ 情緒療癒效用

認同

　　鱷魚和長頸鹿因為天生的差異，以致在相處的過程中，發生許多不適應的狀況；此故事內容會使讀者想起，不論是夫妻、親子、婆媳、祖孫，或是養護機構內的室友、院友等，只要是一同生活，便都會面臨到像兩位主角一般，因習慣不同而衍生不適感，甚至引發衝突；此外，在工作或社交場合的人際互動中，人們也不時會因種種問題而失和。閱讀本故事，樂齡讀者會聯想到，與他人因立場和價值觀上的差異，而就生活中的大小事發生爭執的情形。

淨化

　　由故事情節的發展，樂齡者可以感受到，鱷魚和長頸鹿住進對方家時，皆因種種不適應而覺得十分沮喪與苦惱；然而，兩人並未洩氣，且能積極地思考解決問題的辦法。對此，讀者會十分讚賞牠們認真看待彼此的關係，重視對方的感受，以及有效化解衝突的智慧和行動力。

　　其後，兩位主角一起設計與建築新家，看到兩人邊做邊玩的畫面，樂齡讀者能感受到牠們皆非常開心。而隨著新居落成，使鱷魚和長頸鹿初始遇到的問題一一獲得解決。由此，個人的心情，亦從原先為兩位主角擔憂，變得豁然開朗起來。另外，本書的圖畫饒富趣味，且蘊藏許多細節，讓人在閱讀時感到驚喜連連。

領悟

　　由此繪本，樂齡讀者可以領悟到，無論是和家人同住，或是居於養護機構，只要一起生活，皆必然會經歷一定程度的磨合。因此，樂齡者可以明瞭，人與人之間需要彼此尊重，並心平氣和地溝通，方可達成共識。

　　另外，由繪本中鱷魚和長頸鹿磨合的過程，樂齡者可以領悟到，與親近的人溝通，有時候會很容易情緒化或者發怒，故更需要用心正視問題，避免受情緒影響。同時，讀者亦可體察到，若一方經常委屈自己，而未能找出雙方皆可接受的解決方式，則可能會感到痛苦，另一方亦未必因而快樂，如此，對兩人關係的增進毫無益處。藉由本書，樂齡者可參考兩位主角處理問題的方式，首先，避免處於引發爭執的情境中；其次，可學習兩位主角溝通時，鍥而不捨、勇於嘗試、不抱怨的態度。凡此，皆能有助於雙方關係的長久經營與維持。

E 人際關係

◎ 與他人建立關係

◎ 人際互動

◎ 故舊離去

◎ 社會孤立

因老邁行動不便，求助他人受挫而衍生的無助感

書名／小個子婆婆結冰了！
（La petite vieille du rez-de-chaussée）
作者／文：貝利埃（Charlotte Bellière）
　　　　圖：埃伊（Ian de Haes）
譯者／陳思穎
出版社／新北市：韋伯文化
出版年／2015
ISBN／9789864270040

◆ 內容簡介

　　主角小個子婆婆每天都需牽著路人的手，才敢過馬路去購物。某日，主角遭到一名趕時間的年輕人拒絕，因而相當錯愕，更驚嚇至「結冰」狀態──其如同雕像般，呆立於馬路前不能言語。

　　後來，有街坊鄰居一家路過，於是上前向小個子婆婆打招呼，但發現主角的神情異於平常，便將之帶回家中照顧。其間，住在同一棟樓的鄰居們，都紛紛前來，希望幫助小個子婆婆恢復過來。

　　最終，一名鄰居道出其所見小個子婆婆受到驚嚇的過程。眾人得知原委後，兩位小孩向主角表達同理與安慰，更道出願意陪同對方過馬路的心意。由此，小個子婆婆感受到街坊鄰居的關懷之情，於是解除了「結冰」的狀態，並與大家一起歡聚。

◆ 情節舉例

「婆婆，我們知道妳為什麼會結凍了！自己過馬路真的很可怕，又很危險。我們以後可以陪妳一起買東西，這樣妳就不會遇到討厭的人了。再說，鄰居本來就應該要守望相助！」

　　左頁畫面中，兩個孩子圍繞在小個子婆婆身旁，安慰著先前受到驚嚇的主角；右頁畫面則呈現主角的臉龐，她一邊微笑着，一邊落下的斗大淚珠。由此，樂齡讀者能從中體會到，主角因受到關懷而得以「解凍」，心中壓抑的委屈感亦隨之釋放出來；另外，讀者

也會感覺到，兩位孩子話語中傳達過來的溫度，使個人的心不禁跟著暖和起來。

◆ 情緒療癒效用

認同

主角小個子婆婆需要他人陪伴，才能安心地過馬路；然而，在某次尋求協助時，她因被路人拒絕，便驚嚇得變成結冰的雕像般。看到書中主角的遭遇，樂齡者會聯想到，自己有時也會因年紀增長、行動較不靈活，而漸生無助感，且偶爾會像主角一樣，覺得需要協助卻孤立無援，或希望他人幫忙，但又擔心無人搭理自己；因而會對主角的顧慮與被拒絕後的反應，感到深深的認同。此外，讀者亦想到，一些自我價值感較低者，在遭到拒絕或否定時，即會如同主角一樣「結冰」，心中受創，不再嘗試與他人互動，導致自我封閉的情況。

淨化

故事敘述，小個子婆婆在日常生活中，經常需要他人協助；但因身邊並無親友可依靠，故只能求助陌生人；對此，樂齡者會為她面臨的處境和困擾，感到無奈與嘆息。而主角第一次遭到他人拒絕時，即「嚇得變成一尊懊惱又難過的雕像」，讀者能從她的反應，感受到其震驚、失落以及無助的情緒，並會替主角感到心疼與不捨，同時，也會感慨她不巧遇到缺乏同理心的路人。

之後，鄰居們一一前來協助，加上孩子們安慰與擁抱主角的情景，讓人感覺格外溫暖；而從小個子婆婆落淚後露出笑容的畫面，讀者能感受到她心中難過的情緒得到舒緩；同時，個人的心情會隨之放鬆；此外，也會慶幸主角身邊的鄰居，皆十分熱心，因而不由地衍生一股暖意，並替主角感到開心。本書作者以「結冰」來表達小個子婆婆遭到拒絕的錯愕與難過，加上鄰居們一起集思廣益，嘗

試多種不同方式，協助主角「解凍」等情節饒富創意和想像力，令人感覺十分有趣，因而在閱讀的過程中感到心情愉悅，並由衷發出讚嘆。

領悟

藉著繪本中小個子婆婆求助遭受拒絕而「結冰」的情節，樂齡讀者會學習到，即使年長有所需求，但他人也不一定有時間或有能力協助自己；而當個人有如此的認知時，即便自己的請求未能得到他人回應，亦可換位思考，理解對方的立場，並能快速調適好心態，而不會覺得遭受打擊或自尊受損。同時，樂齡者也應學習自立自強，增強自信心與自我效能，嘗試減少對他人的依賴，以提升自我價值感，進而讓生活更自在與快樂。

再者，讀者可由此繪本領悟到，若看見有人需要協助時，當盡自己所能，解對方的燃眉之急；此外，由故事中，小個子婆婆被街坊鄰居用推車帶回家時，心中抱怨「我是人，又不是一袋馬鈴薯！」的情節可見，在從事利他的助人行為時，除了要明瞭當事者真正的需求外，也應運用對方可接受的方式給予協助；如此，一方面能顧及到當事者的自尊與心理感受；同時，也能讓對方感受到助人者真誠的關懷與體貼之意。

書名／有你，真好！（Grand Loup & Petit Loup）

作者／文：娜汀·布罕—柯司莫

（Nadine Brun-Cosme）

圖：奧立維·達列克（Olivier Tallec）

譯者／陳妭怡

出版社／臺北市：天下遠見

出版年／2006

ISBN／9789864177165

◆ 內容簡介

　　大野狼獨居在小山丘上的一棵大樹下。某日，一隻小野狼從遠方來到該處，無意離開。初始時，兩隻狼彼此仍保持著戒心；一段時日後，大野狼認知到小野狼並無任何威脅性，便開始關照牠的起居生活。

　　某次，大野狼外出時，小野狼悄然離開了。對此，大野狼感到非常焦急與難過，並試圖尋找對方，但皆徒勞無功。於是，大野狼一直待在樹下，等候小野狼歸來。

　　一段日子後，小野狼回到小山丘上。久別重逢的兩隻狼，互相傾吐心聲，並向對方表明心中的關愛之情；最後，亦約定要一直陪伴對方。

◆ 情節舉例

「…大野狼開始出現一些奇奇怪怪的念頭。他告訴自己，如果小野狼回來，一定會多分一點兒樹葉被子給他蓋；…他自言自語的說了許多、許多、許多，然後，繼續的等待著。」

　　下雪的冬季，大野狼在其棲息的大樹下望著遠方，等待小野狼歸來；從一列圍在大樹周邊的腳印，可看出大野狼曾經來回踱步。由此，樂齡讀者可體會到牠焦急、擔心、不知所措的心情。在閱讀

時，讀者一方面會為大野狼感到揪心，一方面亦會連結到個人思念遠方兒女的種種心緒。

◆ **情緒療癒效用**

認同

故事中，大野狼和小野狼未明確界定的關係，給予讀者自由聯想的空間，因此，不論是將兩隻狼相處的場景，想像成親子、情侶或是朋友間的互動、分離和重逢，都會觸動讀者的內心，而引起莫大的共鳴。尤其，大野狼給予小野狼多方照顧的情景，能勾起樂齡者撫育兒女成長的種種回憶；此外，當看到大野狼因小野狼悄然離去，而十分擔憂與思念的情節，以及大野狼苦苦等待小野狼回來的畫面，也會讓樂齡者連結到個人渴望已離家的子女多探視自己的模樣。

再者，在小野狼不辭而別後，大野狼方體會到自己對牠的在意與思念之情，此場景勾起讀者相似的回憶，例如，當長久陪伴自己的人離去後，才覺得不夠珍惜對方等心緒。另外，一些樂齡者會由此憶起，在過去的人生歲月中，亦曾因故與友人離別，難以再相聚，最終失去友誼的經驗。

淨化

大野狼初始與小野狼接觸時，不斷地打量對方，樂齡者能感覺到大野狼一開始充滿戒心、猜疑和不安。後來，大野狼確定小野狼較自己弱小後，便放心下來，並對其百般照顧，此情節會讓讀者感到十分窩心。而當小野狼離去後，大野狼神情懊惱地坐在樹下，以及來回踱步等畫面，貼切地描繪出牠失落、煎熬、憂心忡忡的情緒；令讀者替牠擔憂與心疼。而大野狼一直等待，未曾放棄的堅決態度，也讓人感動。

因思念親友或懷念過去的人事物而感到失落

故事結局敘述，小野狼返回小山丘上，畫面中大野狼既興奮又期待的模樣，能將喜悅的心情傳遞給讀者；同時，兩隻狼互相擁抱的畫面相當溫馨，能使樂齡者釋放出心中低落的情緒。繪者以色彩明亮的基調和生動的筆觸，刻畫出每一個溫暖的情景。藉此，讀者得以感受到兩隻狼細微的心理變化，並隨之產生情緒上的起伏。

領悟

大野狼與小野狼從陌生到熟悉的故事，會讓樂齡者有所體會。首先，兩隻狼在一開始並未表明對彼此的重視與關愛之情，因此，在小野狼離開時，大野狼心中仍有許多想法未及向對方表達。透過此情節，樂齡者會領悟到，當前擁有的人事物，一旦失去後，未必可像書中兩隻狼一樣能再次得到；因此，個人要懂得珍惜與所愛相處的時光，並應盡量向對方表達關愛之意，以免徒留遺憾。

其次，個人若因面臨離別之事而情緒低落，則亦應盡量調適心情，並懷著未來再相見的期望；尤其，不應如同大野狼般，每日僅是等待小野狼歸來，導致時常充斥著負面情緒，甚至影響到日常生活。事實上，個人可以選擇放下牽掛，並嘗試建立新的人際關係，讓自己重拾快樂。再者，由大小野狼相處的一舉一動，吾人可發現，不管看似多麼剛硬的人，心中都有一窪柔軟之田地。因此，在與他人互動時，不應只由對方的外顯行為來判斷，而是可主動溝通，釋出善意；且亦可像大野狼般，將關懷付諸實際行動；如此，當能拉近彼此的距離，甚至建立起一段珍貴的友誼。

E03 讀者情緒困擾問題類型：
覺得無人關愛自己而感到失落與空虛

書名／我想要愛
（L'Ours qui voulait qu'on l'aime）
作者／文：克萊兒‧克雷芒（Claire Clément）
　　　圖：卡曼‧索列‧凡得瑞
　　　　　（Carme Solé Vendrell）
譯者／沙永玲
出版社／臺北市：小魯文化
出版年／2014（二版）
ISBN／9789862114193

◆ 內容簡介

　　大熊吉米的母親很早過世，後來，父親留下一頂帽子，便讓牠獨自生活。吉米順利長大，而某天，牠看見山羊媽媽呵護小羊的情景，便發覺自己亦想要被愛，於是決定離開住處去尋找愛。

　　其間，吉米拯救了一隻老山撥鼠，因而得到對方的愛護與照顧，這一段日子，讓吉米感到被愛的溫暖；但後來老山撥鼠去世了，令主角難過不已。不久後，一隻小兔子前來依靠；吉米對其付出關愛，但小兔子長大後，便與主角告別，不再回來。吉米因再度失去所愛而感到失落，遂返回自己的住處過冬。

　　春天來臨時，吉米繼續旅行，以尋找愛。路途中，牠察覺到將要發生雪崩，便協助附近的動物們逃到洞穴中避難。之後，動物們都非常感謝吉米，並依偎在牠身邊休息；吉米因而感覺到，心中的空虛感被填滿了。

◆ 情節舉例

「她為吉米做了一頓美味的飯菜，表示感謝。第二天，她又為他烹飪，一餐接一餐，一頓又一頓，吉米大飽口福。他好快樂，於是留下來和山撥鼠一起過活。」

　　畫面中，老山撥鼠站在大石頭上，拿著湯碗餵食坐在地上的大熊吉米。看到渴望被愛的吉米，因受到老山撥鼠的關懷與照顧，臉上流露出幸福的神情；讀者能由此感染到牠快樂與滿足的心情。

◆ 情緒療癒效用

認同

孤身一人的主角大熊吉米，因看見山羊母子的親密互動，而察覺到自己失去父母後，便乏人關愛；一些獨居的樂齡者，可由吉米的故事，想到自己亦較少與人交流，或和社會疏離的情況，因而產生深深的共鳴。另外，故事敘述，主角大熊吉米經歷了孤獨、喜樂和失落的循環，牠失去父母、老山撥鼠、小兔子等所愛的對象，但最終因自己無私的大愛，幫忙小動物們而得到滿足感之情節；樂齡者會聯想到，許多人一生中，也會經歷到由不得自己掌控的大小變故，因而覺得吉米的遭遇，彷如人生的縮影般；同時，也會回憶起自身曾經歷過的種種悲歡離合，並衍生心有戚戚焉之感。

淨化

故事一開始，吉米獨自一人過活，樂齡讀者能體會到其心中難過、空虛的心情；而山羊母子親密互動的畫面，更顯出吉米的孤單；也讓樂齡者覺得主角十分可憐，並為之感到心疼。在旅途中，吉米遇見山撥鼠和小兔子，在與牠們相處的日子裡，主角心中充滿了幸福感；後來，山撥鼠年老去世，小兔子長大離開，吉米一再失去所愛。閱讀至此，樂齡者能感受到主角心中十分沮喪、寂寞，並不禁替牠覺得唏噓、不捨與難過。另外，看到吉米一直帶著父親留下的帽子到處旅行，樂齡者可以由此感覺到，主角對親生父母始終抱持著思念之情。

度過寒冬後，吉米再次出發尋找愛，更在路途中拯救了動物們，於是得到大家的愛戴。對此，樂齡者會覺得，吉米終能享受愛的溫暖，而為之感到開心。同時，書中圖畫色彩鮮明，讀者可從主角的表情刻畫與畫面主色調，看出其心情的轉折，從而讓個人的情緒跟著起伏。

領悟

　　由主角大熊吉米在渴望愛、尋找愛、接受愛、付出愛的過程中，樂齡者會體悟到人生無常，現在擁有的親朋好友，也可能因不同的緣故離開自己；而若遭遇與所愛分離，覺得孤單寂寞，心靈空虛時，個人可以像吉米一樣，先充分休息；在預備好之後，再嘗試尋找值得付出愛的對象，例如擴展交友圈、當志工等；如此，當能得到他人的愛與回報，甚至可在逆境中，重新找到生命的美好。另外，吉米在經歷種種失去後，仍不放棄追尋渴望已久的愛，終得償所願；此故事亦會鼓舞樂齡者，即使處於生命的低潮，仍不要輕言放棄，因為幸福可能就在不遠的將來。

　　再者，看到故事中，大熊吉米小時候即失去父母，而渴望得到他人關愛，以彌補心中缺口的情節，樂齡者會由此體悟到，身邊一些人對生活感到不快樂，或做出令人難以接受的行為，可能也是缺乏愛的緣故。因此，讀者能反思，個人實可盡一己之力，透過付出關懷，來讓當事者感受到人世間的溫暖；如此，吾人也可為和諧幸福社會的營造盡一分心力。

書名／沒有人喜歡我（Niemand mag mich!）
作者／文・圖：羅爾・克利尚尼茲
　　　　　　　（Raoul Krischanitz）
譯者／宋珮
出版社／臺北市：三之三文化
出版年／2002
ISBN／9789572089637

◆ 內容簡介

　　主角小狗巴弟剛搬新家，希望能結識新朋友；於是，牠邀請附近的一隻老鼠一起玩耍，但遭到拒絕。巴弟因而覺得對方不喜歡自己，便嘗試尋找其他新朋友。

　　由於與老鼠互動的挫折經驗，巴弟在遇見別的動物時，皆先從遠處觀察一番；但因感覺別人都不友善，於是不敢靠近，甚至越來越畏縮，終難過得哭泣起來。一隻狐狸見狀，便前來關心與詢問；之後，亦陪同巴弟，一同探究動物們反應冷漠的原因。

　　由此，巴弟回頭尋找方才遇見的動物們當面溝通，發現只是個人負面思考，害怕被拒絕，而引起誤會；事實上，動物們並非不喜歡自己。在互相坦白心聲、彼此了解後，巴弟終與大家結為朋友。

◆ 情節舉例

「終於，他們到了巴弟的家。『小老鼠！你看我找到了好多朋友，』巴弟說，『告訴我，你剛剛為什麼不跟我玩？』『因為我在做蛋糕啊！』老鼠說，『你們想不想吃一塊？』」

　　原本誤以為大家都不喜歡自己的巴弟，終化解心中的不安與誤會，因而認識了身旁的動物們。畫面中，動物們和主角圍繞在一起，看著小老鼠和其製作的蛋糕，大家臉上皆露出興奮與期待的表情，令讀者覺得十分逗趣，並替牠們感到開心。

◆ 情緒療癒效用

認同

　　繪本故事中，主角巴弟搬到新住所後，欲結交朋友，但一開始並不順利；此猶如樂齡者搬遷至不同社區或安養機構時，也意欲和鄰居、院友建立人際關係，但不一定能如願的情況；此外，讀者也會聯想到，個人在融入團體時，也需經過一段時間的磨合，方獲得原有成員的接納；因此，會對巴弟的處境與心情有深刻的認同。而巴弟僅看見別人外在的行為舉止，便認為對方不喜歡自己；此情節讓樂齡者想到，許多人亦會因他人的眼神動作，或一句不經意的話語，即作出負面的解讀，認為別人不喜歡自己，此情形在日常生活中十分常見。

淨化

　　主角巴弟一開始遭到老鼠拒絕時，樂齡者會感受到牠鬱悶、沮喪、難過的心情；之後，繪本的畫面呈現，巴弟在與其他動物互動前，皆保持距離，甚至躲藏起來；看到主角漸漸失去自信的畏縮模樣，令人為之嘆息。直到遇見狐狸，在其陪伴之下，巴弟變得較有信心，更能鼓起勇氣，主動與動物們溝通，表達希望能和對方建立友誼，從而解開彼此之間的誤會；此時，主角終展露出歡喜的表情。閱讀至此，能使讀者跟著愉悅起來。繪本結局中，巴弟與動物們和睦相處，一起玩耍的快樂心情，更會感染到讀者。此繪本的色彩與構圖，皆精確地表達出角色人物的心境，令人情緒容易隨之起伏，從而達致淨化情緒之效。

領悟

　　由此繪本，樂齡讀者可從主角在新環境的交友挫折經驗中反思，倘若融入團體不順利、或與人互動時遭到拒絕，實不應臆測他人是否懷有負面想法，而是要有等待的智慧；因為人際間的接納，

往往需要經過時間的磨合。同時，吾人不妨與對方理性溝通，以製造互相了解的機會。再者，若想成為不招惹人厭的「可愛老人」，則應時常檢視自己，是否能抱持開放的心胸，傾聽他人的想法，並接受不同立場的意見。

　　另外，樂齡讀者也會體悟到，當遭遇不順心之事時，不應如主角般，躲藏起來自怨自艾；而應增強自信心，勇敢表達個人想法，並積極面對問題；若單憑個人的力量，未能順利解決困難時，則亦不妨尋找第三者之協助，以解開彼此的誤會與嫌隙。此外，由巴弟在狐狸的陪伴下，便能鼓起勇氣，與動物們展開對話的情節，可啟發樂齡者，當發現有人需要協助時，則可學習書中狐狸的作為，當個陪伴者，以幫助當事者融入團體與找到歸屬感。

書名／城市狗，鄉下蛙
（City Dog, Country Frog）
作者／文·莫·威廉斯（Mo Willems）
圖：強·穆特（Jon J. Muth）
譯者／沙永玲
出版社／臺北市：小魯文化
出版年／2011
ISBN／9789862112564

人際關係——與他人建立關係、人際互動、故舊離去、社會孤立

◆ 內容簡介

春天，城市狗初次來到鄉下，與一隻鄉下蛙結為朋友，兩人一起玩青蛙的遊戲；夏天，城市狗回到該處尋找鄉下蛙，帶來狗的把戲，以回報牠。

秋天時，鄉下蛙因疲累而不想再玩遊戲，於是與城市狗回憶過去相處時的快樂時光。冬天，城市狗回到以往碰面之處，但未能找到鄉下蛙。

次年春天時，城市狗再次前往鄉下蛙棲息之處，希望能看到對方出現，但卻未能等到，而覺得失落不已；此時，一隻花栗鼠對其發出問候，城市狗便帶著鄉下蛙的蛙式微笑回應，並與花栗鼠建立一段新的友誼。

◆ 情節舉例

「『你在做什麼啊？』鄉下花栗鼠問。『等待一個朋友。』城市狗悲傷地回答。」

畫面中，城市狗沉鬱地低著頭，與其身後神情愉悅的花栗鼠形成對比；由此，讀者可感受到，城市狗因找不到故友鄉下蛙，而衍生悲傷的情緒；同時，也會看出花栗鼠對城市狗的好奇，此情景與城市狗當初遇見鄉下蛙時如出一轍。此情節亦預告著城市狗的悲傷情緒即將得到撫慰，讓讀者心生盼望與感動。

◆ 情緒療癒效用

認同

　　故事描繪城市狗與鄉下蛙相處一段時日，建立起深厚的情誼後，鄉下蛙突然消失無蹤；最終，城市狗意識到自己再也見不到鄉下蛙。此等情節會勾起一些樂齡者因故和親友分離的情景，以及曾經歷過的親友離世經驗；另外，城市狗透過「蛙式微笑」，表達出對鄉下蛙的思念之情節，也讓樂齡者想起過往與子女、親友相處時的種種美好回憶，以及對方帶給自己的影響，因而感到心有戚戚焉。

　　而城市狗與鄉下蛙，一大一小的兩個角色，有良好的互動，彼此之間建立了堅固的情感連結，樂齡者會聯想到，此猶如自己與子女的親情關係般。因此，城市狗等待鄉下蛙出現的畫面，能連結到個人孤單地等待子女歸來的模樣，是故，會引起一些讀者的共鳴。

淨化

　　本書開頭將城市狗與鄉下蛙玩耍時的神情動作，描繪得相當生動活潑，情感表達也很真摯動人，能讓樂齡讀者受到感染，產生喜樂的心情，並覺得兩人的互動非常溫馨可愛。冬季時，城市狗四處尋找鄉下蛙卻找不著，而沮喪、難過地坐在石頭上東張西望，由牠流露出的落寞神情，加上畫面中，冬日雪地的蕭瑟氣氛，讓樂齡讀者不禁為城市狗感到揪心；同時，亦會為牠對鄉下蛙的深厚情誼動容不已。

　　而後，雖然冬天過去，但兩位主角卻終究未能再見面。對此，樂齡者不禁會覺得唏噓；另一方面，讀者也會從城市狗向花栗鼠露出「蛙式微笑」的表情中，深深感受到牠既因思念鄉下蛙而感到失落，同時也因新友誼的開展，而心情得以平撫；由此故事的發展，會使讀者心中的負面情緒稍稍舒緩，並為這一段新友誼的誕生感到欣慰與期待。此繪本圖畫優美，色彩、畫風皆讓人感覺平和，閱讀後，會有獲得療癒和受到撫慰之感。

領悟

繪本敘述，城市狗和鄉下蛙建立了情誼；其後，鄉下蛙無故消失，城市狗在等待對方時，遇見花栗鼠，並重新開始一段友誼。由此情節發展，讓樂齡者更深刻地體悟到人生無常，是故，在遭遇不預期的失落事件，尤其是面對生命中的重要他人離去時，縱使會經歷內心的糾結、不捨與難過，但仍應以正向的態度調適心情，並嘗試建立新的人際關係，以填補心靈的空缺。再者，吾人雖可藉由回憶與對方相處的種種美好，來平撫悲傷與失落的情緒，但也不應只是沉溺於過去，而應嘗試展開新生活；如此，方能迎向新的人生，預約幸福的未來。

另外，城市狗在春、夏、秋皆有鄉下蛙作伴，冬季卻只有孤身一人的情節，樂齡者會想到，年輕時，有父母手足、配偶子女等重要他人圍繞在身邊；而在年長以後，則變得常需一人獨處；由此，樂齡者能參悟到，在人生不同階段中，有時有人相伴，有時獨自過活，都是生命的過程。事實上，在獨處時，可以沉澱個人的思緒；有人相伴時，則可以分享生活中的酸甜苦辣；而無論何種狀況，都是值得享受的時光，此正是禪詩所云，「若無閒事掛心頭，便是人間好時節」的境界。

E06 讀者情緒困擾問題類型：
在團體中不被瞭解、遭受排擠而心情低落

書名／烏鴉太郎（Crow Boy）

作者／文・圖：八島太郎

譯者／林真美

出版社／臺北市：遠流

出版年／2005

ISBN／9789573255932

◆ 內容簡介

一名個子很小的男孩，被小學同學們取名「小不點」，他常聽不懂上課的內容，且行徑和別人不同，以致他在學校沒有朋友。雖然如此，小不點仍然堅持每天上學，並透過許多方式自得其樂，轉移注意力，以消磨時間。

升上六年級時，新任的班導師發現，小不點熟知大自然動植物的生態，而對其十分欣賞；之後，便在畢業同樂會上，邀請主角表演模仿烏鴉的叫聲。小不點的演出，讓同學和家長們相當驚艷與讚賞。

由此，大家了解到，小不點每天皆攀涉遙遠的山路前來學校，不曾缺席，所有人皆對他的堅毅力，心生敬佩與感動；而同學們亦反省先前對待主角的態度。畢業後，主角和同學在鎮上重逢，大家皆友善地喊他「烏鴉太郎」，主角也喜悅地接受這個綽號。

◆ 情節舉例

「上課時，他被安排坐在教室的最角落。下課時，他被冷落在一旁。」

上半的畫面中，描繪主角小不點趴坐在教室座位上，周邊空無一人；下半的畫面，則呈現出孩子們皆在操場三三兩兩地玩耍，而主角卻獨自坐在地上。由此，讀者可以感受到小不點的孤單與失落感，亦會想起自己無法融入群體，或與他人格格不入等相關經驗。

◆ 情緒療癒效用

認同

故事主角小不點個子小、且常做出與眾不同，被他人視為奇怪的行為，因此不被同儕接納，甚至受到捉弄；此等情節，讓一些居住於安養機構中的樂齡者覺得，自己的遭遇亦如同主角般，在群體生活中缺少同伴，甚或遭到排擠，但又礙於現實無法離開，只好忍受一切的不如意，孤獨地度日；是故，個人能對主角的處境有深刻體會。另外，由本書的內容可知，故事的時代背景是資源匱乏的年代，主角與同學們在小學畢業後，便需工作貼補家計；此也會讓一些經歷過貧窮生活的樂齡者心生共鳴，並勾起種種回憶，因此更覺得此故事能貼近個人的心聲，表達出自己切身的感受。

淨化

看到主角不被同儕接納，而淪為班上孤立個體的情節，會令樂齡讀者為他難過；同時，小不點雖然遭受同學排擠，往返學校的路途也相當遙遠，但其仍堅持至畢業；主角堅強的意志力與恆心，會讓人感到佩服。

而新任班導師關懷小不點，讓他漸漸重拾自信，此讓樂齡者感受到導師所給予的溫暖；主角也因而得以在畢業同樂會上，透過展現模仿烏鴉叫聲的絕活，讓大家了解，其每日往返學校時需克服的困難，同時贏得了同學們衷心的讚歎與敬佩。看到此情節，樂齡讀者能感受到，主角從初始的缺乏自信、退縮和壓抑中釋放出來，且建立起自我價值；而讀者的心情亦會隨之轉為正面，並覺得結局十分振奮和感人。

領悟

由此故事，讀者能反思個人的處境。換言之，若覺得目前所處的環境並非自己所喜歡，甚或因此陷入情緒低潮時，則可嘗試效法

主角小不點的堅韌態度，不對逆境低頭，堅持向前邁進；如此，終會覓得可改變現況的機會。另外，若是因生活中資源匱乏而感到不安，則亦可像主角般，透過多元的方式來豐富自己的心靈，如此，當可使日子更加充實愉快。

另外，書中敘述，藉著新任導師的鼓勵與關懷，小不點得以展現個人的專長與才能，且由此建立自信心，並得到同儕的接納。閱讀至此，樂齡者會領悟到，可透過展現自己的才能，來讓他人認可自身的努力，從而能順利地融入團體；再者，個人亦可像主角的導師般，主動關懷未能在團體中找到歸屬者；如此，可讓當事者感到溫暖，自己亦能從中獲得助人的快樂。

在團體中不被瞭解、遭受排擠而心情低落

E07　讀者情緒困擾問題類型：
不斷為他人付出但未獲得回報，而衍生哀怨感

書名／麥基先生請假的那一天
（A Sick Day for Amos McGee）
作者／文：菲立普‧史戴（Philip C. Stead）
　　　　圖：艾琳‧史戴（Erin E. Stead）
譯者／柯倩華
出版社／臺北市：小魯文化
出版年／2012
ISBN／9789862113141

人際關係──與他人建立關係、人際互動、故舊離去、社會孤立

◆ **內容簡介**

　　主角麥基先生是動物園管理員，每天負責照顧大象、企鵝等動物，給予大家所需的協助與陪伴。

　　某天，麥基先生身體不適，於是請假在家休息。平日受麥基先生照顧的動物們，因未見到主角出現而感到擔心與納悶，於是一起前往麥基先生的家探望。

　　動物們以實際的行動，照顧與陪伴生病的麥基先生，表達對他的關懷之意。此後，麥基先生與動物們更加深了彼此的情誼。

◆ **情節舉例**

「『哈──啾！』麥基先生打個噴嚏，醒了過來。犀牛已經準備好一條手帕。」

　　在繪本的前半故事中提到，麥基先生平日皆準備手帕幫犀牛擦鼻涕，而在此處，則是犀牛為打噴嚏的麥基先生遞上手帕；畫面中，兩人的眼神交會，流露出真摯的情感，看起來相當溫馨可愛，讓讀者不禁會心一笑。

◆ **情緒療癒效用**

認同

主角麥基先生每天負責照顧動物們；樂齡者會從故事中聯想到，個人無怨無悔地為家人付出，或是擔任志工時，亦不求回報地奉獻時間和心力，故會覺得自己如同主角一般。而麥基先生身體不適當天，動物們便前往主角家中探望，並照料他的起居生活；由此，樂齡讀者會聯想到，自己年長以後，亦受到兒女等後輩的照顧；因而對麥基先生和動物們，照顧者與被照顧者角色互換的情況有所共鳴。另外，書中描述，動物們對於缺少麥基先生的關懷與陪伴，感到相當不適應，甚至有些動物的問題因而未能獲得解決；由此情節，樂齡讀者會想到，當某些人不在日常的崗位上時，一些事情便無法如常完成的生活經驗。

淨化

從本書許多畫面中可見，麥基先生用心地照料動物們，會讓樂齡讀者對主角的作為感到佩服。而主角生病在家休息當天，動物們都納悶地等待著；畫面中，牠們無精打采與落寞的神情，使讀者的情緒跟著低宕下來。之後，主角看到動物們一同前來探望時，露出了欣喜的表情，使讀者感受到他和動物們之間，有著由愛與關懷所建立的真摯情誼。而平日受麥基先生照顧的動物們，對生病的主角同樣地付出，會讓樂齡者覺得相當窩心。在故事結尾中，大家圍在主角身邊，一起入睡的情景，更是令人覺得十分溫馨。

領悟

由故事內容可知，麥基先生和動物們之間的緊密關係，係從日常的陪伴與關懷中漸漸建立的。由此，會啟發讀者思考，應以具體的行動，來讓他人感受到自己真切的關愛。同時，樂齡者能從繪本中領悟到，當自己為他人付出時，也必定會在對方的生命中發揮影

響力；因此，不必過於計較付出與回報的多寡。

　　此外，讀者也能體悟到，應當珍惜默默付出心力關懷和照顧自己的親友，並把握機會表達謝意，以免對方因故離開自己時徒留遺憾。另一方面，如同麥基先生般，平日居於照顧者角色的樂齡者，也可從本故事體會到，在有需要時，不妨接受照顧對象的幫助與回饋；如此，在一來一往之間，可讓彼此的關係更加緊密。

E08 讀者情緒困擾問題類型：
面對親友離世後，缺少人際互動的社會孤立感

書名／愛取名字的老太太
（The Old Woman Who Named Things）
作者／文：辛西亞‧勞倫特（Cynthia Rylant）
　　　圖：凱瑟琳‧布朗（Kathryn Brown）
譯者／黃迺毓
出版社／臺北市：上誼文化
出版年／2013（二版）
ISBN／9789577625069

◆ 內容簡介

　　主角是一位年紀很大的老太太，她熟悉的親友皆已離世，讓其覺得獨居的生活非常孤單寂寞。因此，老太太將她認為在有生之年仍可使用的物品視為朋友，並一一為之取名字，以撫慰自己；而可能會損壞的物品，則一律不予命名。

　　從某日開始，一隻小流浪狗每天都會來到老太太的家門外索食。主角雖然喜歡小狗，且會為之準備食物；但考慮到自己年邁，擔心無法好好飼養，以及不欲再承受失去所愛之苦，便堅決不收養小狗。

　　一段日子後，老太太發現小流浪狗一連數天皆未出現，因而焦急不已，到處尋找；最終，在捕狗大隊處尋回該流浪狗。由此，老太太覺察到自己對小狗的喜愛與重視，於是決定為之命名，並帶回家飼養。

◆ 情節舉例

「…那隻每天都來吃東西的狗卻還是沒有名字，狗沒有名字，老太太就不必擔心會活得比牠久，她覺得這樣做實在很聰明。」

　　畫面中，老太太手中拿著食物，擋在住家花園的圍欄邊，餵食流浪狗。由此情節，樂齡讀者可看出，主角喜歡和小狗互動，但又排斥牠進入生活中，心中充滿矛盾。

◆ 情緒療癒效用

認同

孤身一人的老太太渴望減少孤獨感，因此，她將房子、汽車等可以長期使用的物品視為友伴，並為之取名字，主角寂寞的心境，令有相似狀況的樂齡讀者倍感認同。另外，老太太雖然喜歡每天登門索食的小狗，但考慮自身年事已高，故堅持不養；由此，會讓樂齡讀者想到，個人亦曾興起飼養寵物，或完成一些目標的念頭，但有時亦和主角一樣，擔心自己年邁，無法堅持到最後，於是作罷。同時，也使人照見自身亦如主角般，不欲承受生離死別之痛；是故，樂齡者能充份理解老太太拒絕與小流浪狗有進一步接觸的心緒。

淨化

書中老太太的親人和好友皆已離世，讓其感到十分孤獨寂寞，於是她將自住的房子、代步的汽車等視為朋友，更不斷以人名稱之；閱讀至此，樂齡者會覺得主角的景況相當令人同情。此外，由老太太與小流浪狗的互動中可見，她雖然喜歡小狗，但因擔心自己無法好好照顧，也害怕面對小狗可能較早離世的情況，而堅持不收養的情節，樂齡讀者會感受到老太太心中的矛盾；同時，也能察覺到她對晚年生命的擔憂與不安。

然而，當每天都來報到的小狗失蹤時，主角心中很焦急難過；經過一番尋找後，終得以和小狗重逢。由此情節，樂齡者會感染到主角由失落到欣喜的情緒轉折。結局中，老太太因有小狗的陪伴而露出溫暖的笑容，讓讀者覺得相當溫馨；而由此，顯現出主角對生命的態度亦變得正向，且有勇氣面對未來可能遇見的分離。因此，看完此書後，讀者會替老太太感到高興，同時揮散了原本為其擔憂的心情，並重新燃起了希望。此繪本的角色人物形象、場景都描繪得十分細膩，且圖畫色彩鮮豔，畫風溫暖，讓樂齡者閱讀後，能產生正面情緒。

領悟

　　由此故事，樂齡者會體悟到，縱使像主角老太太般，身邊所愛多已離去，但仍應嘗試與不同的人交流，主動付出和關愛他人，並接觸新事物；如此，與社會保持互動，使不致衍生社會孤立與疏離感。尤其，不宜成天獨自待在家裡，或沉浸在負面思維中；而是要找到排解孤獨的方式，活出積極的自我；同時，也可以像老太太般，藉由飼養寵物，讓個人愛與隸屬的需求得到滿足。

　　另外，從老太太和小流浪狗之間的情感發展，樂齡者可領悟到，無論生命的長短，人世間的愛，並不會隨著時間而消逝。因此，縱然會面臨一次又一次的分離與失落事件，但仍應抱持著希望；如此，做好心理準備，當能平和淡定地面對生命中的種種逆境與挑戰。

面對親友離世後，缺少人際互動的社會孤立感

人際關係——與他人建立關係、人際互動、故舊離去、社會孤立

書名／頑固的鱷魚奶奶
　　　（アリゲイタばあさんは がんこもの）
作者／文・圖：松山圓香
譯者／陳采瑛
出版社／臺北市：遠流
出版年／2014
ISBN／9789573274544

◆ 內容簡介

　　主角鱷魚奶奶獨居於村外的沼澤旁，其個性很頑固且脾氣暴躁。村人雖經常對鱷魚奶奶表達關心之意，但牠往往拒絕接受。儘管主角有時想要他人陪伴，但通常不會開口，而只是自行調適心中的孤寂感。

　　某天，兔子一家將親手烘焙的蛋糕送給鱷魚奶奶；主角雖然心中很高興，但並未表達出來。由此，主角意識到，與他人分享自己物品的行為相當具有意義；於是，牠決定要將平日編織的圍巾，贈予兔子一家和村中的朋友們。

　　收到圍巾的動物們，皆感受到鱷魚奶奶的善意與柔軟的心腸。於是，大家帶著餐點，相約拜訪鱷魚奶奶，並快樂地一起聚餐。

◆ 情節舉例

「鱷魚奶奶很頑固。雖然有時也會想和人聊聊天，可是要出門找人實在很麻煩。像這樣下著雪的安靜夜晚，唱唱歌，就忘記了。」

　　畫面中，鱷魚奶奶獨自一人在家中唱歌；房子裡，只有茶几上鱷魚爺爺的照片與之相伴，令人感受到主角心中的孤單與寂寞。此外，讀者亦會想起，一些樂齡者亦如同鱷魚奶奶般，讓人感覺難相處，但事實上，彼等亦需要他人的關懷與陪伴。

◆ 情緒療癒效用

認同

繪本的主角鱷魚奶奶不擅於人際互動，經常板著臉，讓人感覺不易相處。即使是有需要時，主角仍囿於面子或不希望麻煩他人，故甚少開口請求協助；因此，樂齡者會覺得鱷魚奶奶詮釋了現實中一些人的個性與作為，甚或是和自己相似。

另外，故事描述，兔子一家送來蛋糕時，鱷魚奶奶雖然開心，但卻出現抱怨的反向行為；由此，樂齡讀者能看出，主角因自尊心強，故未能向對方說出心中的感謝之意，而只是想透過回贈物品來表達。由此情節，讀者會想到一些人亦會如同主角般，在接受到他人的善意後，不好意思直接開口道謝，而只想以其他方式回報的模樣。

淨化

由本故事可見，鱷魚奶奶的獨居生活，雖不時感到孤單，但牠懂得排解孤獨感，而能避免陷入沮喪的情緒中，此會讓讀者覺得很欣賞。另外，由情節中可知，主角能體察到各戶鄰居的不同需求，贈送適合每個人體型的圍巾，令讀者覺得相當窩心與溫暖；同時，也能從中感受到，鱷魚奶奶兇悍的外表下，有著敏銳的觀察力和關懷他人的柔軟心腸，讓人不禁發出讚嘆。

另外，故事中提到，鱷魚奶奶在前往鄰居住處的路上，發現渡河的橋斷了；於是，牠便涉水到對岸贈送圍巾給大家。由此，可見主角會不畏艱難地完成所訂定的目標；牠的行動力、自我效能及堅毅力，會讓人覺得十分佩服。再者，雖然鱷魚奶奶始終未曾展露笑容，但由鄰居們圍上主角親手編織的圍巾，一同在鱷魚奶奶家聚餐的畫面，樂齡者可從主角的神情看到，大家的陪伴讓其感到非常快樂。同時，繪本的畫面色彩明亮豐富，閱讀起來，特別能令人感到溫馨和愉悅。

領悟

由此故事，樂齡者能由主角鱷魚奶奶的反例中體悟到，在實際與人互動時，要適時將身段放軟，且適度地向他人表白內心的感受；而不宜像主角一樣，為顧及自尊，以致在有需要時，仍不願求助他人。此外，主角堅持己見的個性，顯示其信念堅定，不容易因外界的影響而動搖或是失去自信，此會讓樂齡者覺得可以仿效。另一方面，讀者也能體察到，有時候堅持個人信念是必要的，但不能過猶不及，否則容易使他人認為自己固執己見，甚或讓彼此的關係產生裂痕。

此外，書中描述，鱷魚奶奶雖不時因孤身一人而感到寂寞，但其仍然有調適負面情緒的方式；因此，有相似處境的樂齡讀者也會領悟到，應懂得安排獨處的時間。例如，吾人可透過培養多元的興趣，讓獨居生活充實與豐富；其次，亦可敞開心房，多與親友和左鄰右舍交流，互相饋贈生活所需；如此，藉由溝通與分享，能在生活圈中建立良好的人際關係，減少社會孤立感。除此之外，樂齡者還能省察到，一些態度強硬、固執、常拒絕他人好意者，內心其實也可能像鱷魚奶奶一樣柔軟；因此，吾人可以像書中兔子一家，多主動給予當事者關懷，如此，或許能建立一段良好的友誼。

書名／擁抱

作者／文‧圖：幾米

出版社／臺北市：大塊文化

出版年／2012

ISBN／9789862133392

◆ 內容簡介

睡夢中的主角紅毛獅，被一個從天而降的盒子砸醒。牠氣沖沖地咬破盒子，發現裡面裝有一本名為《擁抱》的書，便好奇地翻閱起來。

書中的畫面和文字，呈現出許多角色互相擁抱的陶醉模樣，讓紅毛獅感到很不自在；但閱讀下來，主角亦受到感染，開始渴望能與他人擁抱，便去尋找擁抱的對象。而當紅毛獅靠近動物們時，對方不是逃之夭夭，就是攻擊紅毛獅；對此，主角感到相當沮喪，只好擁抱植物和不同的物品，以撫平自己內心的空虛感。

後來，紅毛獅在閱讀該書的過程中，獲得「沒有任何一個擁抱該被忘記」的啟發，更由此回想起年幼時，經常與一位小男孩擁抱的美好過去。於是，紅毛獅找回內心深處渴望愛人與被愛的初心。

◆ 情節舉例

「才看了幾頁，紅毛獅就忍不住奔進樹林，嘩啦嘩啦地大吐特吐！這些圖片實在是太噁心了！這些文字實在是太肉麻了！」

紅毛獅一手拿著《擁抱》這本書，一手扶著旁邊的樹幹嘔吐，神情相當痛苦。看到此畫面，讀者一方面會覺得作者以此誇張、逗趣的手法表達主角的心情，相當幽默；另一方面則會想到，在華人社會中，亦有許多人如同紅毛獅一樣，認為擁抱的行為很噁心，因此大家都敬謝不敏。

◆ 情緒療癒效用

認同

由此故事，樂齡者會聯想到，許多華人和主角紅毛獅剛開始一樣，對肢體接觸的動作感到厭惡與不解；另外，一些社會地位較高者，亦猶如主角般，為了維持個人的身份與形象，不欲和他人過於親近，是故，能對紅毛獅的反應有所認同。此外，主角小時候與男孩親密地玩耍、擁抱，對比其長大後，忘了曾經被擁抱的溫暖，甚至厭惡與排斥擁抱；如此的轉變過程，猶如一些人在成長過程中，漸漸將柔弱的一面隱藏起來，或拒絕承認內心被愛的渴望；因此，主角的行徑能讓讀者心生共鳴。

淨化：

在閱讀《擁抱》一書的過程中，主角紅毛獅一開始對於角色們享受擁抱的模樣，覺得不解與迷惘，而後來，當牠在變得渴望和他人擁抱時，卻幾經嘗試皆未能成功；由主角連番被拒絕，甚至遭受攻擊的情節，讀者可感受到，牠的心情十分沮喪、難過。之後，主角轉而擁抱西瓜、石頭的畫面，更讓樂齡者充分體會到紅毛獅心中的悲哀，因而不禁覺得牠很可憐。書中，紅毛獅由「想要一個擁抱」，到「需要一個擁抱」，最後「只要一個擁抱」的陳述，讓讀者感受到，主角願意卸下身為萬獸之王的自尊與防衛心，並敞開心房，由此，讀者會為之感到欣慰。

故事結局，呈現了紅毛獅回憶起曾經擁有的愛與溫暖，並與心中思念的小男孩重逢，樂齡讀者會感染到主角的滿足與快樂。由此，讀者先前壓抑的負面情緒因而得以釋放出來。另外，看到書中多個角色互相擁抱的畫面，傳遞出溫馨、幸福的氛圍，文字敘述亦具哲理和深度，讓人閱讀後，觸動內心的情感與過去的美好記憶，讓喜悅的情緒從心而發。

領悟：

不少人如同繪本中的主角紅毛獅一樣，未能體察到自己有愛與被愛、被擁抱和被接納的渴望；也有人外表強悍，不易親近，而看似無此需要。事實上，心理學家馬斯洛即主張，人皆有愛與隸屬的社會性需求；亦即，每個人皆有其柔軟、需要他人給予愛和關懷的一面。如同故事中的主角紅毛獅，雖然外看來難以親近，但當牠想起昔日與小男孩擁抱的美好回憶後，亦卸下防衛，找回初心，並展露出溫暖柔軟的模樣。由此，樂齡者會領悟到，不妨多主動對他人付出愛與關懷，也接受他人的善意。如此，當更能讓自己或他人得到愛的滋養，從而感受到社會的美好。

此書描繪了許多角色互相擁抱的畫面，樂齡者可從中領悟到，無聲的擁抱，有時更勝過千言萬語。再者，本書亦會啟發讀者，愛可以用各種不同的形式表達，且也需要透過學習與嘗試，方能以最妥適的方式傳遞給彼此。例如，書中一個孩子在擁抱豪豬時，避開其背上的刺，擁抱無刺的腹部；樂齡讀者能由此想到，任何人際衝突，總是能找到雙贏的解決之道：而若一時之間無法尋得解方時，仍應抱持同理心，試著了解對方，並用雙方皆能接受的方式溝通，如此，事情終會有轉圜的餘地。此正如繪本的文字所述，「不管多麼困難，我們總可以找到最適合的擁抱。想要擁抱豪豬，只有一個方法：就是擁抱最不豪豬的地方」。

F 失落與死亡

◎ 親友離世

◎ 對死亡的恐懼不安

失落與死亡——親友離世、對死亡的恐懼不安

書名／Life幸福小鋪（Life（ライフ））
作者／文：楠茂宣
　　　　圖：松本春野
譯者／陳瀅如
出版社／臺北市：幼獅文化
出版年／2016
ISBN／9789864490608

◆ 內容簡介

老爺爺驟然離世後，老奶奶無心繼續栽種老伴喜愛的花卉，於是將他遺下的種子，帶到以物易物的 Life 小鋪，交換一個相框，以放置老爺爺的照片。

之後，有許多人前來 Life 小鋪，置放個人目前用不著的物品，並取走需要之物。而造訪該處的人們，皆取走了一些老奶奶帶來的花卉種子。

幾個月後，老奶奶再次回到 Life 小鋪，看見裡面擺放著許多盆栽，皆是由老爺爺的花卉種子育成的，主角因而驚喜不已。同時，老奶奶從街道上處處是色彩繽紛的花朵，體驗到世界的美好；由此，她跳脫了悲傷的心情，並找回面對生活的力量。

◆ 情節舉例

「她看到了家家戶戶盆栽裡盛開的花朵，正對著她綻放滿滿的笑容。之前老奶奶在來的路上，一路低著頭，完全沒發覺這些美麗的花朵。可是，當她抬起頭時，她找到幸福了。」

街道上的房子，每個窗戶前，都盛開著色彩繽紛的花卉；至於人們，則在房子裡、街道上甚至屋頂上嬉戲遊玩，此等畫面，傳達出生趣盎然的氣息。讀者可以從老奶奶的背影感受到，她因發現了周遭環境中的美好事物，而重新體會到幸福的滋味，終讓積壓在心中的負面情緒釋放出來。

◆ 情緒療癒效用

認同

主角老奶奶初始時，因伴侶驟逝而陷入情緒低潮；曾經歷所愛親友離世而感到悲痛的讀者，會對故事中老奶奶面臨丈夫離世的諸多心境有深刻的體會。同時，主角將老伴的花卉種子帶到 Life 小鋪的情節，亦讓樂齡讀者想起，在整理家中時，有時亦會為具紀念意味之物的「斷捨離」感到煩惱。而前來 Life 小鋪的人們，皆帶來不同的舊物以作交換，象徵著舊回憶的放下與新生命階段的開始。閱讀至此，讀者會覺得自己和書中所有前來 Life 小鋪的人們一樣，在生命中不斷地捨與得，因而會有所共鳴。

淨化

故事的開始，呈現老奶奶臉上掛著孤單落寞的神情來到 Life 小鋪；看到主角因伴侶離世而失落不已的模樣，令樂齡讀者為她感到心疼與不捨。而隨著情節的開展，形形色色的人們來到 Life 小鋪，將自身的舊物放下，並尋得合用的物品，而露出滿足的神情，讓讀者感覺到與人分享的美好，同時使原先沉鬱的心情獲得舒緩。

繪本的尾聲，老奶奶回到 Life 小鋪，本欲再放下其他老伴遺下的種子，卻看見由之前置放的種子培育成的花朵盆栽，而覺得既驚喜又感動；她捂著嘴閱讀人們在盆栽上留下的字句之畫面，會讓樂齡者感覺十分溫暖。後來，老奶奶決定將部分種子帶回家自行栽種，且在返家的路上發現，到處皆盛開着老伴所愛的花卉，讀者可以從此感受到，主角已漸漸走出喪偶的哀慟，重新展開生活，讓人替她感到高興和欣慰。

領悟

繪本的結尾描繪出，老奶奶發現周遭開滿了老伴生前喜愛的花卉，因而受到撫慰；由此，遭受失去摯愛之慟的樂齡讀者可認知到，

個人不應一直沉溺於哀傷的情緒中，而應嘗試走出來，與人群和周遭的世界互動；如此，不僅可獲得他人給予的溫暖以及心靈上的支持，同時，也能發現幸福美好的人事物，在身邊即垂手可得。再者，如同書中主角般，好好整理離世親人的遺物，完成逝者的心願等行動，都能有助於舒緩個人的哀傷與悲痛。

另外，來到 Life 小鋪的人們，因為生命階段的變化，如成長、結婚、孩子誕生等，而放下自己用不著的物品，取走適合現階段使用之物；讀者能從中領悟到，人生就像故事的敘述般，會不斷面臨人事物的出現與離去，惟有坦然地放下，才能敞開心房，迎接新事物的到來。而樂齡階段與年輕時的需求有所不同，故吾人應放寬心，接受這些人生中的變化。再者，由 Life 小鋪的運作，讀者能體會到，物品能夠被延續、並且不斷被賦予新的意義。因此，吾人平日即可學習「斷捨離」的精神，定時清理用不著之物，以將物品循環使用；如此，一方面呼應循環經濟的潮流，另一方面也能讓生活空間更為寬敞舒適，最終，個人的心境也會因而開闊許多。

F02 讀者情緒困擾問題類型：
因親友去世而對生命感到疑惑與不安

書名／**一片葉子落下來**
（The Fall of Freddie the Leaf）

作者／文：李奧·巴斯卡力（Leo Buscaglia）

　　　圖：諾拉·瑞德（Nora Reid）

譯者／李偉文

出版社／臺北市：高寶國際

出版年／2012

ISBN／9789861857251

◆ 內容簡介

　　主角佛瑞迪是某棵大樹上的一片綠葉。它和其他葉子一樣，在春天新生，於夏季茁壯，也認知到自己的獨特之處，以及提供樹蔭讓人們乘涼的使命。

　　秋天來臨時，佛瑞迪和同伴們，皆漸漸由綠色轉變成鮮艷的黃、紅、紫色；同時，主角亦目睹了一些葉子被風吹離樹幹，落在地上的情景；對此，它感到十分害怕與不安。而身旁的葉子則告訴主角，死亡為生命歷程的一部分；因此，應調整心態，並坦然面對。

　　入冬後，葉子同伴皆離開了樹幹，佛瑞迪亦意識到，自己已無法在樹枝上久留。最終，它坦然接受，並隨風飄落，同時讚嘆生命的美好。

◆ 情節舉例

「『我好害怕死亡！』佛瑞迪向丹尼爾說著：『我不知道下面有什麼？』…丹尼爾安慰他：『可是，當春天變成夏天時你不覺得害怕，夏天變成秋天時你也不覺得害怕，這些都是自然的變化，那你為什麼要害怕死亡的季節呢？』」

　　主角佛瑞迪向另一片葉子朋友丹尼爾，道出自己對死亡的恐懼，讀者可以從中感覺到主角的恐懼不安；而丹尼爾充滿智慧的回應，則能讓讀者思索自己的生命歷程和看待死亡的態度，並因而有所感悟。

◆ 情緒療癒效用

認同

本書描繪樹葉在春天生長、夏季茁壯，秋日展現出最美麗的顏色，並在冬季凋零的過程；此如同人生的不同階段，青壯年是春、夏兩季的綠葉，而處於樂齡階段，則有如秋日的葉子一般。隨著時間推移，葉子在冬天時勢必會掉落，無一能例外；樂齡讀者會因此聯想到，隨著年紀增長，自己也終會面臨到生命的盡頭，猶如書中的葉子般。故事中，主角佛瑞迪對生命提出了諸多疑問，包括「死了以後會到哪裡？」、「如果我們反正會掉落與死亡，那為什麼還要來這裡呢？」等，樂齡者會覺得這些問題，也是自己或許多人一直以來的疑問，因而心生共鳴。

書中敘述，主角佛瑞迪和其他數以千百計的葉子，逐一迎向生命的盡頭，而主角是最晚落下的一片葉子。由此，樂齡者不禁會聯想到，一些與自己年紀相仿的親人或同輩已然離世，故會對主角的境遇感到心有戚戚焉。另外，書中敘述，葉子被吹落時，有些極力掙扎，有些則坦然接受，此猶如人們在面對生命終結時，亦抱持著不同的想法與態度，有些人覺得心有不甘，有些人則安然以對，因而會讓樂齡者對書中的內容有所體會。

淨化

在故事一開始，主角正值成長的生命階段，它享受著春風的吹拂、夏日陽光的溫煦，生活充滿愜意；同時，也因察覺到自己一生的使命，而感到高興、滿足；此能讓樂齡者一同感受到佛瑞迪生命中的美好時光。但秋日來臨後，葉子開始枯黃變色，讀者可以從主角與朋友丹尼爾的話語中，感受到它對死亡的恐懼和不安，並會跟著產生緊張之感；而丹尼爾充滿智慧的回應，舒緩了主角心中的煩憂，也讓讀者的心情跟著放鬆下來。

此繪本敘述，當冬季來臨，大樹上只剩下佛瑞迪一片葉子仍未落下；樂齡者會感受到，此時它心中充滿孤寂感；而當主角意識到，自身已相當脆弱，不堪寒風吹襲，於是開放樹幹，坦然接受生命結束的現實；對此，樂齡者會覺得它心中已了無遺憾，個人也會跟著感到釋懷，並佩服主角豁達的生命態度。

領悟

此故事以葉子的成長與枯萎，訴說著萬物在大自然更迭法則下的興衰變化。閱讀此繪本故事，會讓樂齡者明瞭，若從宏觀的角度觀之，衰老、生死皆是四季循環般的「自然的變化」；若老葉不枯黃落下，新葉便無法成長；由此，吾人應了解到「死亡是生命的延續」，從而減少對死亡的恐懼與不安感。另外，藉由本書，因親友往生而哀慟不已的讀者能領悟到，悲傷是人性的本能，但在消沉過後，便應坦然接受事實，並以正向的態度，重拾面對生活的勇氣。

再者，樂齡讀者也能藉由書中角色的對話內容，反思吾人生命終將走到盡頭，但如何活出生命的意義之議題；亦即，個人與其恐懼死亡的到來，或是沉溺在生離死別的哀傷中，不如以積極的行動，展現自身的價值，活出精彩快樂的人生；此正如同本書作者 Leo Buscaglia 所言：「每花一分鐘憂傷，就少一分鐘快樂。（Every moment spent in unhappiness is a moment of happiness lost.）」

F03

讀者情緒困擾問題類型：
面對老年階段，個人能力和資源逐漸衰減而感傷不已

書名／地面地下：四季昆蟲微觀圖記
作者／文・圖：邱承宗
出版社／臺北市：小魯文化
出版年／2016
ISBN／9789862116272

◆ 內容簡介

本書以一隻獨角仙成蟲走向生命的終點、另一隻獨角仙幼蟲從卵中孵化誕生作為開場，表達出生命在大自然中不斷循環與延續的定律。

在獨角仙的一生中，幼蟲階段佔據了生命中大部分的時間；牠在未被看見的地底下，付出許多鮮為人知的努力，緩慢地成長。

經過長時間的歷練，成長後的獨角仙鑽出土壤，振翅高飛，展示其璀璨與美麗的生命。

◆ 情節舉例

「一顆顆乳白色卵粒的誕生，意味著母蟲力竭將亡的時刻。小小的卵粒，在腐植土裡，悄悄成形、悄悄成長。」

在此繪本中，每頁皆以三分之二以上的篇幅，描繪地底下的世界。從畫面中可看見，一隻獨角仙鑽入地底，產下卵粒；翻到後頁，則可見白卵有了孵化的跡象，呈現出獨角仙生命的延續與傳承。讀者會被畫面中豐富多元的地底世界所吸引，並且期待看到獨角仙的成長。

◆ **情緒療癒效用**

認同

故事一開始，即描繪一隻獨角仙生命的結束，之後，則細述新生蟲卵由孵化到成長的過程，藉此帶出生命的循環。自覺年事已高、逐步邁向生命終點的讀者，會對此等故事的刻畫有所體會。另外，獨角仙在土裡度過大半輩子，直到生命接近尾聲，才鑽出地面，並得以振翅飛翔；自覺生命歷程平淡無奇、未顯突出的樂齡讀者，會因獨角仙一直養精蓄銳，但卻長久未能展現自我價值的景況而感觸不已，並覺得此如同自己的人生經歷一般。

再者，繪本中，除了描繪獨角仙的成長過程，亦繪畫出周遭環境發生的變化，各種生物皆經歷著生長與衰亡；由此，樂齡者會聯想到，在過去的人生歲月中，也有著各種不同的際遇、經驗與體悟，故會對繪本的內容有深刻的認同感。

淨化

繪本一開始以產卵後邁入死亡的獨角仙為起始，讓讀者對其產生憐憫之情。然而，緊接著獨角仙蟲卵孵化，能令人從告別生命的遺憾，轉變為對新生命誕生的欣喜；其後，隨著時間的推進，故事描述了獨角仙幼蟲在地下慢慢生長，使讀者在逐頁翻閱時，跟著產生期待與盼望，並對其成長的歷程感到驚喜；由此，樂齡讀者能認知到，生命會在自然循環中，以不同形式不斷地延續，終而讓個人先前沉鬱的情緒平穩下來。最後，獨角仙破土而出，振翅高飛的畫面，充滿生命力，可使讀者的心情跟著振奮起來；同時，也為大自然的奧妙，感到讚嘆不已。

領悟

全書透過獨角仙由卵粒至成蟲的蛻變歷程，展現出大自然的生命更迭，此讓讀者體會到，縱使個人生命即將走到盡頭，但若以宏

觀的視角思考，則未來將有其他的新生命接續自己的生命，就如同大自然無限的循環一般。因此，個人可更寬心地看待晚年的生活，而不必感到焦慮不安。

再者，看到獨角仙有大半的生命在地底下度過，直待完全成熟後，方才破土而出，此能使讀者體悟到，人生中有許多時候，亦需在無人能見之處默默地耕耘；但只要善盡個人的責任，並鍛鍊自己；最終，當能像獨角仙一樣，在時機成熟時，活出精彩的生命。另外，此書亦能引發樂齡讀者思考，個人有如已然成長，能振翅飛翔的獨角仙般，積累了豐厚的生命智慧與能量；因此，與其感嘆生命短暫，或為老年階段逐漸衰減的能力和資源感傷，不如盤點目前擁有的一切，並充分地應用現有資源；如此，當能展現個人生命的意義，同時發揮自我價值。

書名／活了一百萬次的貓
（100万回生きたねこ）

作者／文・圖：佐野洋子
譯者／張伯翔
出版社／臺北市：上誼文化
出版年／1997
ISBN／9789577620958

◆ 內容簡介

　　主角是一隻活過一百萬次的虎斑貓，牠曾當過許多人的寵物貓。每當牠過世時，主人皆感到十分難過，但虎斑貓則不為所動；同時，牠亦因自己擁有許多經歷，而相當驕傲自滿。

　　有一回，虎斑貓成了沒有主人的野貓，其遇見心儀的白貓，並與之共組家庭。在主角心中，牠喜愛白貓和兩人生育的小貓的程度，更勝過喜歡自己。

　　隨著時間過去，白貓年老過世，主角因而悲慟不已。一段時間後，活了一百萬次的貓亦離世了，並未再活過來。

◆ 情節舉例

「有一天，白貓躺在貓的身邊，安安靜靜的，一動也不動了。貓第一次哭了，從早上哭到晚上，又從晚上哭到早上，整整哭了一百萬次。」

　　畫面中，主角虎斑貓抱著白貓的軀體，仰天嚎啕大哭；由此，讀者可以體會到，主角因心愛的伴侶逝去而痛徹心扉，亦令人不由地為之深感唏噓與難過。

◆ 情緒療癒效用

認同

主角虎斑貓不斷經歷生死循環，每次到了生命的結束，牠都滿不在乎，亦無法同理主人的悲傷心情；此會讓一些樂齡者覺得，虎斑貓一開始因生命無限，故對許多人事物皆不甚在意，亦不明白愛與被愛的真諦，而此彷彿是個人年輕時的模樣；在虎斑貓與所愛的白貓共組家庭後，因看見白貓逐漸衰老，由此體會到生命有其盡頭，此猶如許多人在年邁或患病之時，方會改變對生命的態度，珍惜所擁有的一切；主角的轉變，相當能引發樂齡者的感觸和共鳴。同時，看到牠因心愛的白貓往生而悲傷不已的情節，亦會讓樂齡者聯想到所愛的親友較自己先離世的情景，故會對主角的處境感到心有戚戚焉。

淨化

故事開始時敘述，主角虎斑貓被不同的主人飼養時，神情皆得意自滿，讓樂齡讀者覺得牠因活過一百萬次而十分驕傲，但也因生活中無法自主而感到無奈。另外，看到主角成為街頭野貓，並受到其他母貓崇拜和愛慕的情節，讀者也能由虎斑貓的神情與肢體動作，感受到其因獲得生命的自主權，而充滿活力，且十分得意。後來，看到主角與所愛的白貓、及兩人生育的小貓相處的情景，會令讀者覺得非常溫馨與幸福。而當白貓過世時，主角抱著對方痛哭，畫面中傳達出虎斑貓失去摯愛後，感到強烈的不捨與哀痛。此情緒亦會感染讀者，一同為其境遇感到難過與鼻酸。

最後，看到主角再次死亡，卻並未再活過來的情節，樂齡者可感受到，虎斑貓在覓得畢生的真愛，並與對方享受過美好的日子後，終覺得生命無憾；由此，讀者會因主角能夠坦然地放下一切，結束圓滿的一生，而使負面情緒得到舒緩。

對於暮年的生命感到憂鬱不安

領悟

　　主角虎斑貓雖歷經無數次的生死循環，但直至其成為野貓；得到生命的自主權，並覓得所愛後，方能真正地感受到被愛、也學會付出與愛別人；最終能坦然邁向生命的終點。透過本書，讀者可以更深刻地體悟到，生命是短暫且有限的，吾人幾乎無法預料生命的盡頭何時到來，此如同諺語所云：「人生一世，草生一秋」；因此，樂齡者應妥善規劃，找出生活的重心與目標，不可虛度光陰，以免臨老時，衍生「時不我予」的遺憾與悔恨之意。同時，讀者亦能認知到，應傾聽內在的聲音，追求自己真正渴望的人生，而並非如年輕時，一味地壓抑自我，聽從他人的意思；如此，方能活得自在快樂。

　　另外，虎斑貓用心對待伴侶與孩子，終體會到愛與被愛的真諦，且享受到幸福的況味，故最後，白貓與主角皆坦然地離開塵世。透過此等情節，吾人領悟到，應主動付出真誠的關愛，並珍視至親好友對自己的關懷與付出，以及和所愛之人相聚的時刻；而不應捨近求遠，盲目地追求遙不可及的名利。如此，當更能感受到生命中真切的幸福；同時，在面臨個人或摯愛生命終結的時刻，也能坦然無憾。

F05

讀者情緒困擾問題類型：

因思念往生的親友而感到失落與難過

失落與死亡——親友離世、對死亡的恐懼不安

書名／風的電話（かぜのでんわ）
作者／文・圖：井本蓉子
譯者／米雅
出版社／臺北市：青林國際
出版年／2017
ISBN／9789862743171

◆ 內容簡介

某座山頂上放著一台沒接上電話線的「風的電話」。據傳聞，這台電話可以將想說的話，傳達給往生的親友。因此，森林中的一些動物，便前來撥打電話，傾訴個人心中的思念。

前來打電話的動物們，有些向往生者表達思念與感謝之意，有的則述說自己孤單、難過、憤怒、埋怨、疑惑等心理感受；藉此，大家都將心中的諸多情緒抒發出來。

某個夜裡，放置電話的熊爺爺，聽見風的電話響起，於是爬到山頂上察看；由此，牠看見滿天星斗閃爍著，有如往生者向親友道謝。熊爺爺因而體察到，動物們透過風的電話所訴說的思念之情，都已一一傳達到其所愛的人心中了。

◆ 情節舉例

「兔媽媽靜靜的拿起了話筒，她說：『喂，小寶貝，你好嗎？有沒有乖乖的？拜託你回來啊！像你平常那樣喊一聲：「我回來了——」還有，再叫我一聲：「媽媽——」…』」

兔媽媽拿著紅色話筒低頭的樣子，呈現出其心中的不捨與難過之情；在言談中，亦表達出牠懷念逝去的孩子呼喊自己的聲音。而由畫面上方垂下的花朵，落著斗大的雨滴，代表著兔媽媽心中壓抑已久的悲傷情緒，因傾訴而緩緩釋放出來。看到此情節，令人不禁感到心酸不已。

◆ **情緒療癒效用**

認同

此繪本故事敘述，動物們透過撥打「風的電話」，向已逝世的親友訴說思念之情。由此，樂齡者會聯想到，自己與周遭他人，也曾透過電話，傾訴因所愛離去而衍生的悲傷失落情緒，或是藉以陪伴身在他處的親友。此外，本書故事會讓讀者連結到，個人對離世親友傾訴心中思念的渴望；是故，能理解書中動物們千里迢迢爬到山頂去撥打電話的舉動。而動物們向所愛親友傾訴的內容，有些彷彿是讀者內心的話語，因此，會令一些樂齡者覺得，自己的心緒獲得充分的瞭解與同理。

淨化

繪本一開始，描繪動物們爬上山頭撥打電話，向逝去的親友傾訴心中的話；讀者可以從中深刻感受到，牠們因失去所愛而痛苦，以及壓抑已久的沉鬱心情；同時，此繪本中的角色刻畫十分傳神，讀者能由動物們的肢體動作和表情，感受到牠們或悲傷、或沮喪、或憂鬱等心境，令人跟著衍生難過與不捨的情緒。而由書中的對白亦可見，彼等一開始的心情相當哀傷，但在訴說的過程中，彷彿與逝者對上話，於是能讓情緒得到舒緩；閱讀至此，讀者也會隨之減輕心中的鬱結，進而產生正面情緒。最後，看到未接線的「風的電話」響起之情節，配上滿天星斗閃爍著的畫面，表達出大家的思念都成功傳達出去的這一幕，會讓讀者覺得特別欣慰、溫暖與喜悅，也因此釋放出心中的負面情緒。

領悟

由此故事，讀者能領悟到，因親友離世而衍生悲傷、難過的負面情緒時，要懂得轉換思維，以免使自己一直陷在情緒漩渦中；同時，亦要透過各種方式來舒緩。例如，可以透過「沒有接線的電話」——藉由書寫、創作等，抒發個人心中的思念之意，如此，即彷彿

與往生的親友對話般，從而能有效舒緩負面情緒；再者，也可尋找
「有接上線的電話」，就像是與適當的對象傾訴，把個人的情緒和
想法說出來，避免積壓在心中。如此，讓自己有抒發心情的管道，
並得到他人的陪伴與支持，皆有助於情緒的平復。

其次，樂齡者也能體會到，當周遭有人因親友過世而情緒低落
時，自己亦可扮演傾聽者與陪伴者的角色，來協助當事人跳脫情緒
的幽谷。另外，由繪本中「風的電話」響起的結局，讀者能參悟到，
雖然個人與離世的親友已天人永隔，無法直接對話；但相信，往生
者都能感應到吾人的心意；因此，我們仍可向他們道出心中的思念
之情，藉此讓心靈獲得撫慰。

F06 讀者情緒困擾問題類型：
面對與所愛親友永久離別的悲傷心情

書名／獨自去旅行（Über den großen Fluss）
作者／文：阿爾敏・伯以修爾
　　　　（Armin Beuscher）
　　　　圖：柯內妮亞・哈斯（Cornelia Haas）
譯者／賴美玲
出版社／臺北市：大穎文化
出版年／2008（二版）
ISBN／9789867235626

◆ 內容簡介

　　兔子預備要穿越大河，永遠地離開，便向朋友浣熊道別。對此，浣熊感到非常擔憂、難過與不捨，但牠無法阻止兔子離去，只好在河邊送別。

　　之後，浣熊悲傷地坐在河畔；當牠想起兔子以前勉勵自己的話語時，其負面情緒得以稍微平撫。於是，浣熊去尋找其他動物朋友，告知兔子離去的消息，大家皆為此感到相當沉重與難過。

　　之後，動物們一起演奏音樂，以抒發沉鬱的心情；而牠們也相信，兔子能聽見這些表達思念的樂曲。由此，大家心中的悲慟得到了舒緩和釋放。

◆ 情節舉例

「小浣熊站在那裡，他的心好痛啊！他坐在石頭上，不停的哭。他就這樣坐了半天，眼淚一直沒有停過。」

　　故事敘述，在送別朋友兔子後，浣熊低垂著頭，坐在河畔凸出的石頭上，神情十分哀傷。讀者可以由此畫面，感受到浣熊因著兔子的離去，心中悲戚不已，令人不禁跟著難過起來。

◆ 情緒療癒效用

認同

浣熊和動物們，在面對朋友兔子永遠離去的事實時，心生依依不捨之情，由此，會使讀者回想起過往的相似經歷，如親友或寵物離世時之情境。同時，由兔子離開前，不捨地向浣熊道別的畫面，也會勾起讀者與所愛分離的回憶，如經歷搬遷、兒女成長離家等之經驗。而在兔子離開後，浣熊獨自坐在石頭上沉思，而後尋找其他朋友彼此安慰，以及一同演奏音樂緬懷友人等情節，會讓樂齡讀者想到，每個人在失去所愛時，多會透過各種方式療癒自己；因此，書中所述能引發讀者深深的認同感。

淨化

故事的開始，兔子告知浣熊自己將要永遠離開時，浣熊心中十分擔憂、難過與不捨，其與兔子互相擁抱的畫面，特別顯示出牠們之間的深厚情誼，令人動容，且不禁會為牠們感傷起來；之後，浣熊獨自坐在送別兔子之處哭泣，亦會讓樂齡者感受到其心中的孤單與濃濃的哀傷，且似乎仍期待著兔子會回來。而後浣熊開始告知朋友們兔子離去之事；對此，大家皆覺得十分難過與悲痛；但樂齡者會感受到，四人聚在一起互相陪伴，較浣熊獨自一人時更有撫慰的力量。

結局中，動物們一起吹奏樂器，藉以抒發失去兔子的哀傷；閱讀至此情節，讀者會為牠們找到適當的方式，調適喪失所愛的悲痛而感到欣慰，同時亦會藉此宣洩出積壓在心頭的負面情緒。此繪本色彩豐富，畫面色調能襯托出角色人物的心情；尤其，在主角浣熊的情緒得到舒緩後，繪者運用明亮的暖色系作為畫面的主色調，傳達出希望仍在之意，因而能讓讀者受到鼓舞，並心生繼續前進的動力。

領悟

　　故事開頭，兔子得知自己生命將盡，便坦然告知浣熊此事實，並真切地與之道別；看到兔子雖然心中不捨，但仍走得瀟灑，不希望牽絆他人，樂齡者會覺得其態度與作為相當值得學習。再者，讀者亦會領悟到，生離死別乃是人生必經的道路。當親友離世後，個人不應長期沉溺於難過與不捨的情緒泥沼中，而是要好好舒緩心中的負面情緒；換言之，當道別時刻來臨，個人應隨遇而安，坦然面對。而情緒調適的方式有許多種，例如，一開始被悲傷的情緒充斥時，可先像書中的浣熊一樣，透過哭泣、回憶往事來宣洩；之後，則可學習繪本中的動物們，與往生者的共同朋友一起互相安慰與陪伴、或是透過音樂抒發負面情緒等，都是療癒喪失所愛之苦的適切作法。

失落與死亡──親友離世、對死亡的恐懼不安

書名／親愛的
作者／文：幸佳慧
　　　　圖：楊宛靜
出版社／臺北市：遠見天下文化
出版年／2013
ISBN／9789862164204

◆ 內容簡介

母親去世後，主角女孩豌豆得照顧因悲傷而萎靡不振的父親，亦需負責以往由媽媽一手包辦的家務事，並重新整理荒廢已久的花園。

其間，豌豆在家中地下室，找到母親遺留的箱子，裡面裝有具紀念性的物品，以及寫給主角的卡片。這些物品與卡片中母親的話語，讓豌豆得到慰藉，並重拾了面對未來生活的力量。

後來，豌豆發現父親透過書寫紙條，抒發對母親的思念之情，於是，她便以母親的口吻，與父親展開書面對話，藉以幫助他跳脫失去至愛的悲傷情緒。由此，父親終能振作起來，並重新肩負起照顧家庭的責任。

◆ 情節舉例

「結果，只是個普通的箱子，但味道很香，是媽媽的味道。我把裡面的東西拿出來，每樣東西上都貼著畫了一顆小豌豆的卡片。第一樣是一個布娃娃…。」

主角豌豆在家中尋得母親的遺物，並發現了具紀念價值的物品，從而更了解母親的過去。此情節會讓樂齡者想起，自己在整理所愛親人的遺物時，亦會如同主角一樣，一邊察看，一邊回憶，心中感覺五味雜陳。

◆ **情緒療癒效用**

認同

繪本中，主角小女孩豌豆失去了母親，且要承擔所有家務，並照顧痛苦不已的父親；看到她所面對的生活困境，會令過去曾經歷至愛離世而悲傷難抑，但仍需肩負種種責任的樂齡者，感到心有戚戚焉。此外，主角的父親因喪偶之慟，一時走不出悲傷，而封閉自我，不與他人接觸，也會令一些樂齡者覺得，此彷彿照見了過去的自己，且亦會想起周遭他人的類似境況。再者，主角由母親留下的箱子中，發現許多承載回憶的物品之情節，亦會讓讀者想起整理親人遺物的經驗，因而能對此產生共鳴感。

淨化

主角小女孩的母親過世後，父親深受打擊而萎靡不振，主角礙於現實生活，只能自立自強，一人完成所有家務事；由豌豆兩次獨白「我得這麼做，沒別的辦法」，讀者會感受到她的無奈與無力感，也會令人為之心疼與不捨。同時，樂齡者會欣賞主角的懂事，並佩服她面對喪母後生活鉅變的心理韌性與堅強態度。此外，看到豌豆父親過於哀傷，而無法振作的模樣，更讓讀者感到很心酸。後來，豌豆尋得母親遺留的物品與勉勵的小卡片，由此釋放出壓抑心中的悲傷；閱讀至此，讀者亦會從中感受到安慰的力量，因而帶走了原先充斥於內心的負面情緒。

後來，繪本敘述，小女孩想方設法，以過世母親的口吻，與父親展開書面對話，幫助他走出哀傷。由此情節，樂齡者會對主角細膩的心思與充滿智慧的作為，感到讚賞不已。結局中，父親走出喪妻之慟，並擁抱女兒豌豆，許諾會擔起照顧家庭的責任之畫面，能牽動讀者的情緒，令人覺得相當溫馨、高興和感動。

領悟

由繪本所描述，父女從喪親之慟中恢復的故事，樂齡者可以理解到，在面對所愛親友離世的重大失落事件時，親友間的彼此支持，可帶來莫大的安慰。因此，個人不應像主角豌豆的父親一樣，自顧自地沉溺於悲傷中；而應和親友互相陪伴，以舒緩彼此的哀傷情緒。此外，同樣遭遇親人離世的樂齡者可以了解，儘管自身哀痛不已，但在生活中，個人仍肩負著許多責任；是故，應像故事中的小女孩一樣，嘗試正面思考，並自我療癒，以讓自己找回面對未來的心能量。繪本中可見，主角豌豆透過母親的遺物，回味與對方相處的種種美好記憶，並從中得到安慰；另外，也能運用智慧，幫助父親走出情緒的幽谷；如此，她得以調適喪母的負面情緒。而豌豆父親則透過繪畫以及寫信等方式，來抒發對所愛的思念之情。故事中父女兩人自我療癒的方式，都是值得讀者仿效的。

再者，由故事敘述可知，母親臨終前，曾叮嚀主角需堅強地擔負起家務，維持日常生活，並照顧父親；而母親亦細心地為女兒留下具紀念價值的物品和寫著安慰話語的卡片；此等舉動，皆讓豌豆獲得面對艱難時刻的力量。由此，樂齡者可以省思，平日即可為親友、後輩留下紀念與指引；如此，當生命走到終點時，吾人當可了無罣礙，且亦能減緩親友們的哀傷與生活中的無助感。

書名／難過時，學會安慰自己
（Mevrouw Justien, een verhaal over troost）
作者／文：伊莎貝爾‧德西格（Isabelle Desegher）
　　　圖：安‧德‧波德（Ann De Bode）
譯者／謝靜雯
出版社／臺北市：大穎文化
出版年／2017
ISBN／9789869375252

◆ 內容簡介

　　自從丈夫過世之後，主角賈斯汀太太的肚子上出現了一個洞，她嘗試了各種不同的方法，仍無法將之填補，令其倍感困擾。

　　某天，賈斯汀太太來到一間特別的商店，店員得知主角因肚子上的洞而煩惱不已，便引領她去閱讀不同的書籍。由文本中的字句，賈斯汀太太回憶起與丈夫之間的甜蜜時刻，因而得到了慰藉。

　　之後，賈斯汀太太肚子上的洞變小了，而她已學會調適自己悲傷情緒的方式；因此，她能重新享受生活，充實自我。

◆ 情節舉例

「文字在賈斯汀太太四周翩翩飛舞…在近乎被遺忘的角落裡，卻有貼近心頭的話語。似遠又近的話語。那是她與先生以前說過的話。賈斯汀太太把這些話語一一撿起來讀…。」

　　繪本畫面的左下方，以黑白的顏色呈現賈斯汀先生的臉孔，而他說過的話語在其間飄盪著；另外，畫面的右上方則可見，賈斯汀太太回憶起這些話語後，便在高聳的書櫃間，像鳥兒一般翩然起舞；讀者可以從中感受到賈斯汀太太的歡欣之情，更會因她能自沉鬱的情緒中釋放出來，而感到高興。

◆ 情緒療癒效用

認同

在丈夫過世後，主角賈斯汀太太的肚子上出現了一個小洞。經詢問醫生、與朋友交談、品嚐美食，都無法將空洞填補，甚至適得其反。閱讀至此，樂齡讀者會回想到，自己或周遭他人，在面對所愛親友離世後，亦如同書中所描繪般，感覺生理上或心理上皆彷彿破了一個洞；且亦會像主角一樣，在有意無意間，試圖用各種方式填補心中的哀傷與空虛感。因此，讀者不但會覺得個人能體會賈斯汀太太失去伴侶的心情，也會認為自己面臨親友離世時的種種心理感受，得到主角全然的理解。

淨化

故事一開始時，並未直接道出賈斯汀太太失去丈夫後的心情，但樂齡讀者能從其肚子上出現無法填補的空洞之描述，感受到主角心中十分難過、空虛和失落。後來，賈斯汀太太雖試了許多方法撫慰傷痛，但皆效果不彰，因而十分苦惱；看到此等情節，會令讀者相當不捨。

後來，賈斯汀太太得知，可找出一些能療癒自己的字句來閱讀，並由此喚起諸多與丈夫相處時的記憶，使悲傷的情緒得以舒緩；看到畫面中，主角展露笑容，神情愉悅地沉浸在昔日的美好回憶與想像中，樂齡讀者不禁會感染到主角的好心情，進而將壓抑的負面情緒釋放出來。結局描述，賈斯汀太太肚子上的洞有時仍會變大，代表主角依然會為丈夫的離世感到難過，但她已學會了自我療傷的方式；對此，有相似遭遇的讀者，亦同樣會覺得欣慰與釋懷。

領悟

賈斯汀太太從喪偶的悲傷中恢復的故事，能讓讀者體悟到，若遭遇重要他人離世等失落事件時，個人內心充斥著悲傷、空虛、寂

寞等負面情緒在所難免；但吾人可學習主角，找出讓自己遠離傷痛的有效方式，以度過困難的時刻。另外，主角找到療癒自己的方法後，肚子上的洞雖然縮小了，但並非完全消失；由此，樂齡者可體悟到，有些傷痛的確難以全然撫平，但還是能設法，減少其對生活的負面影響程度。

　　而故事中，賈斯汀太太透過閱讀來進行自我療癒，從而得以舒緩喪偶的哀傷情緒；同時，也藉由閱讀豐富了個人的心靈。如此，透過「書目療法」來舒緩負面情緒，並培養個人面對創傷的心理韌性和挫折復原力，也是一種相當值得樂齡者仿效之情緒療癒與心理健康促進的方式。

失落與死亡──親友離世、對死亡的恐懼不安

書名／蘋果樹上的死神
（Der Tod auf dem Apfelbaum）
作者／文‧圖：卡特琳‧莎樂爾
（Kathrin Schärer）
譯者／劉孟穎
出版社／新北市：韋伯文化
出版年／2016（二版）
ISBN／9789864270286

◆ 內容簡介

偶然間，主角老狐狸獲得了一項特殊能力，其能讓所有停留在某棵蘋果樹上者動彈不得，惟有主角下達命令後，方能脫困。某天，老狐狸發現死神降臨自己面前，在害怕之餘，便施計將死神困在蘋果樹上，無法帶走自己。

自此，老狐狸得以免於死亡，而十分得意。隨著時間過去，主角認識的所有親友和後代皆一一離世，其身體亦漸趨衰老，使之無法再享受生活中的美好事物，主角因此感到莫大的孤寂與痛苦。

在歷經內心的一番掙扎後，老狐狸體會到死亡是生命的必經之路，於是決定讓死神離開蘋果樹，坦然迎向自己生命的終結。

◆ 情節舉例

「老狐狸變得越來越虛弱、越來越脆弱，他全身上下的骨頭都又痠又痛，有一隻眼睛還看不到了，他聽不太到外面的聲音，鼻子也快要聞不到花兒和蘋果的香氣了。老狐狸已經失去了所有他過去能感受到的那些快樂。」

隨著日子推進，年邁的狐狸身體機能逐漸下降，身邊的親友也一一過世。失去健康與社會連結的老狐狸，情緒越來越低落。書中描繪出主角身體衰老的樣態，以及其疲倦、沮喪的面容，使樂齡者能感同身受地體會主角心中的失落與無助感。

◆ **情緒療癒效用**

認同

主角老狐狸對死亡感到十分恐懼，故設法延長自己的生命；此等情節，會讓有相似經驗或想法的讀者，對主角和死神一來一往交涉的過程，感到十分理解與認同，甚至會勾起一些人在鬼門關前走過一遭的回憶。再者，本書描繪主角邁入老年時，不單面臨生理功能的退化，也遭遇人際關係的失落；例如，主角年紀漸長，身體不斷出現病痛的情節，會令讀者想到，個人也遭遇到因生理機能退化而引起的不適。再如，老狐狸雖能長生不死，但所愛的伴侶與後代相繼離世的情況，亦會讓樂齡者聯想到，社會上亦有許多人，因長壽而孤獨，且不知自己長久活著的意義何在。上述種種，皆會讓樂齡者在閱讀本書時，感到心有戚戚焉。

淨化

故事內容敘述，老狐狸首次遇見死神時，覺得自己生命應該更長而心有不甘，樂齡者可由此感受到，主角對死亡的恐懼與抗拒感。當老狐狸使計，成功地將死神困在樹上後，其心中沾沾自喜，讀者會替牠感到慶幸，並覺得此情節甚具創意，因而心生讚嘆。接著，主角開始享受長生不死時，讀者亦能感受到，其有贏過死神的勝利感，心情既快樂又舒暢。但當老狐狸的妻子離世時，牠再次與死神對話，而主角的神情，透露出其對死亡仍感到相當恐懼。

隨著時間過去，主角的生理機能老化衰退，身邊的親友亦相繼過世，讓牠感覺周遭環境變得越來越陌生，因而失去歸屬感和對生命的熱忱。在畫面中，可以看到主角孤單寂寞、不快樂的黯然神色，使讀者的情緒不自覺地隨之低宕下來，並替牠的處境感到唏噓不已。最後，老狐狸決定坦然面對死亡，樂齡者可看到，牠離去時的

神情十分安祥，令人一掃原先恐懼與不安的情緒，並轉而獲得面對生命的勇氣和力量。

領悟

本書描述，主角老狐狸雖然擁有長生不死的能力，但最終仍因失去過往熟悉的所有人事物，且身體機能衰退，以致無法從生活中獲得快樂，終決定迎向死亡；由此故事，樂齡者可領悟到，當生命走到盡頭時，便應依照大自然生死循環的法則；如此，方不會讓個人終日陷入焦慮、恐懼與不安的負面情緒中。同時，吾人亦應參悟到，人生在世，不應「白活」，也不必「歹活」；換言之，與其鬱鬱寡歡地擔憂何時會離開人世，不如積極尋找不同的人生目標，賦予生活意義，並豁達地享受當下、快樂地度過每一天。

另外，書中敘述，在熟悉的親友皆離世後，主角心中落寞不已，更因而想到自己的生命也應當結束；由此，樂齡者可體悟到，個人應積極維繫和親友、近鄰間的情誼，並可多嘗試與周遭他人建立關係，以讓自己免於社會疏離的情況；此如同心理學家所言，人生在世，快樂的源頭之一，便是能在熟悉且無威脅感的環境中生活。如此，吾人當能時時刻刻享受生命的美好與喜悅。

F10 讀者情緒困擾問題類型：
因親人逝世或自身邁向衰老而感到憂傷

書名／獾的禮物（Badger's Parting Gifts）
作者／文・圖：蘇珊・巴蕾（Susan Varley）
譯者／林真美
出版社／臺北市：遠流
出版年／1997
ISBN／9789573232995

◆ **內容簡介**

年邁的獾意識到個人在世的日子剩下不多，而牠坦然接受此狀況，並主動告訴動物朋友們，屆時不必為自己的逝去而難過。

在入冬時，獾離世了。動物們雖然已有心理準備，但仍覺得悲傷難抑，只好帶著對獾的思念，躲在家中度過嚴冬。

當春天來臨時，動物們再度聚首，一起談論獾與大家相處的種種往事。大家由此察覺到，平日裡，每個人皆常使用獾所教導的生活智慧。最終，動物們認知到，獾一直活在大家的心中，於是漸漸平撫了對獾離世的不捨與悲痛之情。

◆ **情節舉例**

「獾並不怕死。因為，牠曉得，『死亡』，只是讓牠離開牠的身體，所以，就算牠的身體愈來愈不聽使喚，牠也不會心煩。」

畫面中，年邁的獾拄著拐杖，泰然自若的模樣，讓樂齡者感受到，獾坦然地看待自己身體衰老，且即將死亡一事。由此，讀者會覺得十分欣賞，並認為牠面對生命的態度相當正面，值得吾人學習。

◆ 情緒療癒效用

認同

故事一開始描述，獾因年紀老邁，體力與活動力越來越衰退；樂齡者會對此等邁入衰老的刻畫深感共鳴。而獾對自己即將死亡一事有所感悟的情節，亦會讓讀者想到，隨著年齡的增長，個人也會思考自己或所愛之人未來離開塵世的種種議題，故會對此繪本的主題有所共鳴。另外，獾在意識到自己行將辭世時，一方面囑咐動物們不需悲傷，一方面也留下紙條道別；此會讓讀者想起一些能安然面對死亡的親友，並覺得獾的行徑與彼等十分相似。

而動物們得知獾過世後，皆十分悲傷；此情節會讓讀者勾起親友離世時的諸多回憶和心緒。後來，動物們聚在一起談論獾的畫面，也使讀者想起，自己亦會在不同場合，與他人一同緬懷逝者之情景。

淨化

由獾逝世的情節，樂齡者能感受到，動物們心中非常悲傷與不捨；加上書中敘述，大家不知如何在缺少獾幫助的情況下，面對未來的生活；由此，讀者能深切體會到牠們的難過與不安。而獾不但平靜地面對死亡的到來，更叮嚀動物們，衰老、往生是生命必經的過程，也勸勉大家毋需過於悲傷；由此，樂齡者會對獾面對死亡的態度，心生佩服與感動。

獾過世之後，動物們聚在一起，回憶與牠相處的種種，樂齡讀者可看見，大家不僅從中獲得互相支持的力量，也漸漸能接受獾逝世的事實；閱讀至此，讀者心中的遺憾、難過情緒，會跟著得到舒緩。而在最後一幕，看到土撥鼠對著天空向獾道謝的情節，樂齡者亦能一同感到釋懷。再者，全書的畫風細膩，精確地描繪出動物們內心的種種情感，能牽動讀者的情緒起伏；此外，色彩柔和的圖畫讓人心生溫馨之意，並淡化了對親友離世的感傷之情。

領悟

　　繪本中，獾視衰老死亡為生命必經的歷程，牠亦能以坦然、平靜的心態，接受自己身體老化，且將要離世的事實；由此，樂齡者會覺得，獾看待生命的態度十分值得學習。另外，獾在離世前為動物們留下紙條的舉動，讓樂齡者獲得啟發，覺得個人亦可以像牠一樣，在身心仍健康時，即留下勸勉的話語，以在將來給予親友鼓勵和安慰。

　　此外，獾常常教導與幫助動物們，因而受到大家的愛戴；此情節會讓樂齡者體悟到，個人可仿效獾，積極地協助周遭的親友及晚輩，如此，不僅可傳授自己的知識、技能和智慧，且個人亦能得到快樂與滿足感，更可為社會的世代傳承盡一分心力。再者，樂齡者亦會由此故事領悟到，所愛親友離世後，個人應勇敢地面對與接受事實。吾人除了透過告別式或追思、祝福逝者等儀式外，在平日裡，亦可如書中的動物們一樣，定期與親友相聚，彼此傾訴對逝者的思念之情。如此，藉由群體的力量，能讓每個人早日告別傷痛，並重新找回面對生活的心能量。

附錄

附錄一

樂齡受訪者之基本資料

代碼	性別	年齡	教育程度	居住地	訪談日期（年 / 月 / 日）（第一次 / 第二次）
F01	女	74	小學	新北市	2017/5/16 2017/5/19 & 2017/5/24*
F02	女	74	小學	新北市	2017/5/24 2017/6/3 & 2017/6/7*
F03	女	60	大學	臺北市	2017/6/10 2017/6/27
F04	女	64	大學	新北市	2017/6/13 2017/6/15
F05	女	67	大學	臺北市	2017/6/13 2017/6/21
F06	女	66	大學	臺北市	2017/6/13 2017/6/20
F07	女	77	小學	臺北市	2017/6/13 2017/6/21 & 2017/6/24*
F08	女	63	大學	臺北市	2017/6/14 2017/6/19
F09	女	55	大學	新北市	2017/6/27 2017/7/3
F10	女	60	高中	新北市	2017/6/30 2017/7/5
F11	女	58	高中	新北市	2017/6/30 2017/7/7
F12	女	59	專科	新北市	2017/7/3 2017/7/11
F13	女	58	大學	新北市	2017/7/4 2017/7/11 & 2017/7/21*
F14	女	67	專科	新北市	2017/7/13 2017/7/20 & 2017/8/9*
F15	女	58	專科	新北市	2017/7/13 2017/7/18

代碼	性別	年齡	教育程度	居住地	訪談日期（年/月/日）（第一次/第二次）
F16	女	64	專科	新北市	2017/7/13 2017/7/17
F17	女	63	大學	新北市	2017/7/13 2017/7/20
F18	女	72	大學	新北市	2017/7/18 2017/7/28
F19	女	56	專科	新北市	2017/7/21 2017/7/26
F20	女	64	高中	臺北市	2017/8/8 2017/8/16
F21	女	68	高中	臺北市	2017/8/15 2017/8/22
F22	女	55	專科肄業	臺北市	2017/8/17 2017/8/23
F23	女	64	大學	臺北市	2017/8/30 2017/8/9/6
F24	女	66	大學	臺北市	2017/9/6 2017/9/20
F25	女	66	大學肄業	臺北市	2017/9/1 2017/9/13
F26	女	55	專科	臺北市	2017/9/8 2017/9/13
F27	女	59	大學	臺北市	2017/9/29 2017/10/2
M01	男	66	碩士	臺北市	2017/5/8 2017/5/11 & 2017/5/15*
M02	男	60	國中	臺北市	2017/8/2 2017/8/11
M03	男	57	碩士	臺北市	2017/8/30 2017/9/6

* 本研究以每位受訪者進行兩次訪談為原則。第一次訪談，目的在於了解受訪者個人之情緒困擾問題；第二次訪談則是請受訪者分享閱讀繪本的心得。
而有 6 位受訪者因個人時間、體力等因素，在第二次訪談中，未及談完所有繪本之心得；故與研究者再行約定時間接續該次訪談，以詳盡地分享繪本之閱讀心得。

附錄一——樂齡受訪者之基本資料

附錄二

訪談大綱——以繪本《艾瑪畫畫》為例

繪本之情緒療癒效用

一、認同

1. 這本繪本的內容在講些什麼？繪本中的主角是誰？

2. 本故事的主角遭遇到什麼樣的情緒困擾問題，或不順心的事情？為什麼？

3. 故事中有哪些人事物與艾瑪的情緒困擾問題相關？

二、淨化

1. 你覺得艾瑪在面對情緒困擾問題時，產生了哪些心理感受？為什麼？

2. 艾瑪如何解決問題？運用她的處理方式後，艾瑪的想法和情緒感受有何轉變？為什麼？

3. 你在閱讀這本繪本時，有沒有什麼樣的情緒感受？為什麼？

4. 在閱讀整個故事的過程中，有哪些片段或情節讓你印象深刻？為什麼？

三、領悟

1. 若你是艾瑪的話，面對如此的情緒困擾問題，你會不會用跟她同樣的處理方式？為什麼？

2. 你對這個繪本故事的整體看法為何？繪本的故事內容帶給你什麼樣的啟發？

參考文獻

Yu Yu（2012）。*請問有沒有適合老年人看的畫冊或繪本？我想買給外婆，她不怎麼識字，還有老花*。取自 https://plus.google.com/+YuYu101/posts/14verksJC3p

丁文琪、鄭建民、郭常勝（2016）。*樂齡休閒學*。高雄市：麗文文化。

方念豫（2000，11 月 6 日）。大字書熱線追蹤 老花一族，閱讀零負擔。*聯合報，41* 版。

安可人生雜誌（2018）。*後青春繪本館*。取自 https://ankemedia.com/tag/picture-bookhttps://ankemedia.com/author/painter

吳迎春、謝明玲（2008，12 月）。自然療癒：你可以掌握自己的健康。*天下雜誌，412*，107-115。

李慧菊、韋鳳美、閻文、趙靜（2012）。閱讀療法能改善養老機構老年人的主觀幸福感。*中國老年學雜誌，32*，3746-3748。

林木泉（2005）。呵護老人系列之九：閱讀治療入門。*門諾電子報，第八十期*。取自 https://public.mch.org.tw/index.php?action=publications_edm_in&id=442

林真美（2016）。*林真美：「三讀繪本」與「再三讀繪本」*。取自：https://www.parenting.com.tw/article/5070197- 林真美：「三讀繪本」與「再三讀繪本」

河合隼雄、松居直、柳田邦男（2005）。*繪本之力*（林真美譯）。臺北市：遠流。（原作 2001 年出版）

邱天助（2009）。老人的閱讀習慣與公共圖書館閱讀需求之調查研究。*台灣圖書館管理季刊，5*（3），11-30。

南部旦馬（2018）。活動》當個台語好學生，說繪本故事給老人聽。*Openbook 閱讀誌*。取自 https://www.openbook.org.tw/article/p-15171

屏東縣政府文化處（2015）。*[密切注意]11 月 ~12 月 2015 圖書館週系列活動起跑囉！*。取自 http://www.cultural.pthg.gov.tw/p01_2.aspx?ID=2324

柳田邦男（2006）。*尋找一本繪本，在沙漠中……*（唐一寧、王國馨譯）。臺北市：遠流。（原作 2004 年出版）

洪世傑（2011）。划無憂船邁向老年的桃花源。*同心園地，136*，34-35。

國家圖書館（n.d.）。*知識共享圈 - 社會科學：請問何謂樂齡？樂齡的定義是什麼？*取自 http://ref.ncl.edu.tw/ 學科專家諮詢平台 / 知識共享圈 - 文章 / 檢視文章 /1104-.html

教育部（2016）。*教育部樂齡學習政策說明*。取自 https://moe.senioredu.moe.gov.tw/UploadFiles/20160727094441933.pdf

許秩維（2014，12 月 17 日）。法鼓山送暖 伴獨居長者讀繪本。*中央通訊社*。取自 https://tw.news.yahoo.com/ 法鼓山送暖 - 伴獨居長者讀繪本 -094307325.html

郭政隆（2013，10 月 4 日）。愛與分享 文化局為長輩說故事。*NOW news 今日新聞*。取自 https://n.yam.com/Article/20131004794655

陳思綺（2015，9 月 14 日）。研究：老年人感到孤獨 心智衰退更快。*優活健康網*。取自 http://www.uho.com.tw/hotnews.asp?aid=38323

陳書梅（2009）。*兒童情緒療癒繪本解題書目*。臺北市：臺大出版中心。

陳書梅（2014）。*從沉鬱到淡定：大學生情緒療癒繪本解題書目*。臺北市：臺大出版中心。

陳櫻慧（2009）。書香讓銀髮也「鼻芳」。*與故事為伍的人*。取自 http://evai1210w.pixnet.net/blog/post/166034144

陳櫻慧（2013）。*火金姑讀書會：銀髮也能變兒童～銀髮族與繪本之間*。取自 http://evai1210w.pixnet.net/blog/post/307921544

黃漢華、高宜凡（2014）。再造銀髮就業力。*遠見雜誌，338*，294-300。

楊舒媚（2015，12 月 2 日）。穩定民心 蔡提心理健康政見。*中國時報*，A5 版。

臺北市樂齡學習網（2016）。*北市圖樂齡學習示範中心「樂齡繪本玩劇團」開始招生！*。取自 http://moe.senioredu.moe.gov.tw/HomeSon/Taipei/TaipeiCenterMoreNews?seniorCenterMessageFileViewModel.enFormId=9fhxV_aRNJ9ze8p6cwNd_bpA_c_c

蔡承家（2010）。*樂齡學習：社會老年學的實踐*。臺北市：師大書苑。

衛生福利部（2017）。*民國106年死因統計結果分析*。取自 https://www.mohw.gov.tw/dl-46132-06a50024-9eae-4d19-ab86-c1fc20699d1f.html

繭中蝶寶寶（2013）。*有沒有非常適合老人讀的繪本的，求推薦*。取自 https://iask.sina.com.cn/b/eZkoo867.html

蘇貞瑛、盧耀華（2011）。銀髮族健康照護需求。在黃玫瑰編（2012），*家庭福祉. 2011：開啟多元助人專業之對話*（頁212-220）。屏東縣：大仁科技大學。

Brown, R. M. (1977). Bibliotherapy as a technique for increasing individual among elderly patients. *Hospital and Community Psychiatry, 28* (5), 347.

Floyd, M. (2003). Bibliotherapy as an adjunct to psychotherapy for depression in older adults. *Psychotherapy in Practice, 59* (2), 187-195.

Frazer, C. J., Christensen, H., & Griffiths, K. M. (2005). Effectiveness of treatments for depression in older people. *Medical Journal of Australia, 182* (12), 627-632.

Howie, M. (1983). Bibliotherapy in social work. *The British Journal of Social Work, 13*, 287-319.

Jones, F. A. (2002). The role of bibliotherapy in health anxiety: An experimental study. *British Journal of Community Nursing, 7* (10), 498-504.

World Health Organization. (2005). *Promoting mental health: Concepts, emerging evidence, practice*. Geneva, Switzerland: World Health Organization.

國家圖書館出版品預行編目 (CIP) 資料

從孤寂到恬適：樂齡情緒療癒繪本解題書目 /
　陳書梅著. -- 初版. -- 臺北市：旺文社, 2018.07
　面；　公分

ISBN 978-986-239-092-4（平裝）

1.書目療法　2.繪本　3.解題目錄

016.855　　　　　　　　　　107013194

從孤寂到恬適
樂齡情緒療癒繪本解題書目
From Forlorn to Tranquil:
An Annotated Bibliography of Emotional Healing Picture
Books for Senior Citizens

作　　　者：陳書梅
發 行 人：李錫敏
出 版 者：旺文社股份有限公司
　　　　　　地址：臺北市中山區龍江路120巷9號6樓
　　　　　　E-mail：liximin999@gmail.com
　　　　　　電話：02-82822851
　　　　　　傳真：02-82822565
　　　　　　劃撥帳號：11312222
初版一刷：2018 年7月
封面繪圖：游庭歡
設計印刷：優點印刷設計股份有限公司
定　　　價：新台幣400元
ISBN　978-986-239-092-4（平裝）